哲学で抵抗する

Kazumi

a pilot of wisdom

目次

はじめに ―― 13
哲学のイメージを前にひるまない
すべてが哲学に見えてくる経験
哲学は哲学史と同じものではない
哲学者は襲名しない
哲学は高邁な理念を論ずる営みとはかぎらない
哲学は悩みでも悩みの解決でもない

第一章　哲学を定義する ―― 26
哲学の定義
概念――一貫性のある単語・表現
概念の定義はさしあたり不要
概念は矛盾がないとはかぎらない
概念を云々すること――創造・廃棄・歪曲・流用その他

概念の緊張が及ぶところとしての世界
エレメントについて――ワインと魚
時間は金銭である
認識――頭で世界がどう見えるか
見えかたの更新――伝承ではない営み
知性――人は誰でも等しく頭がいい
抵抗――言うことを聞かない、聞けない
抵抗にいいも悪いもない

第二章　隷従者の抵抗――53

『揺れる大地』と『スパルタカス』
『揺れる大地』
『揺れる大地』のあらすじ
ントーニの恋愛

「海の魚は、それを食う者のためにいる」
シチーリアのことわざ
哲学者の誕生――「魚たちが出口のない網のなかで」
ことわざの流用
抵抗は成否によっては計られない
フーコーと『揺れる大地』
蜂起は無駄なのか？
『スパルタカス』
『スパルタカス』のあらすじ
インテリ奴隷アントナイナス
シキリア出身
「私がスパルタカスだ」
ダグラスの思いつき
アントナイナスの機知

傘連判状が発明される瞬間

第三章　主食 ―――― 92

萱野茂
茂少年の経験
同情について
女性というマイノリティ
マジョリティとマイノリティ
感情移入の重要性
サケは主食
主食論の説明
主食論は『アイヌの碑』には見られない
「シエペ」
少数民族との交流

ダム建設反対運動
感情移入の無理強い
主食論の継承

第四章　運命論への抵抗 ―― 125

『カンディード』と『スローターハウス5』
啓蒙思想家ヴォルテール
『カンディード』
optimisme
神義論《テオディセ》
充足理由律
パングロスによる最善説の参照
神義論をこき下ろす
リスボン大震災

大震災以前のヴォルテール
「リスボンの災厄に関する詩」
パングロスの無神経な発言
ヴォネガットとヴォルテール
ヴォネガットの経験
ドレスデン爆撃
SF『スローターハウス5』
「そういうものだ」
冒頭のいくつかの例
末尾のいくつかの例
居心地の悪いユーモア
最善説・運命論の否定
そういうものなはずがない
二十世紀のヴォルテール？

第五章　いまがその時間

キングとヴォネガット
公民権運動の始まり
「バーミングハム刑務所からの手紙」
「手紙」は即時の効果を発揮しなかった
タイムリーではない運動
「神話的な時間概念」
「手紙」全体を律する時間論
「ワシントン大行進」のスピーチとの比較
「熟慮されたスピード」
トークニズム
代用貨幣《トークン》
「ワシントン大行進」のスピーチ——小切手
破られない約束？

パウロに成り代わるキング
パウロへの明示的言及
一九五七年の説明
パウロ自身による説明
キングの釈明の苦しさ
救済されるべき、この現在時
いまがその時間
終末は来たのか

おわりに —— 205

主要参考資料一覧 —— 213

本書での引用に関して

・本文中に登場する引用は、原文が日本語でないばあいはすべて、原典から高桑が訳しています。日本語訳がすでに存在しているものについても同様です。巻末の主要参考資料一覧では、既訳が存在するばあいはその版を示していますが、あくまでも便宜のための措置です。本書における訳文は既訳とは異なります。
・引用中の［　］内の文章は原文には存在しません。引用者の註記です。また、［……］は省略を意味します。

はじめに

哲学のイメージを前にひるまない

本書では、「哲学で抵抗する」ことについて考えていきます。
とはいっても、「哲学って何？」「抵抗って何？」というところからはっきりさせてほしいという人もいるでしょう。

抵抗についてはあらためてお話しするとして、哲学について考えるところからとりあえずは始めましょう。

ただし、哲学とは何かという問いへの私なりの回答は第一章できちんと示したいと思います。ここではまず、哲学が何で**は**な**い**かについて、軽くお話ししてみます。

なぜそんな話をしなければならないのか？　それは、ひるんでいただきたくないからです。

あなたの頭のなかには、哲学というのは面倒くさくて陰気なものだというイメージがあらかじめあるかもしれません。実際、哲学は一筋縄ではいかないものだ、手間のかかるものだ、小難しい本をコツコツ読まないとわからないものだと脅してくるように見える言葉にも事欠きません。

たしかに、そういうイメージどおりの哲学がないわけではない。しかし、すべての哲学がそうだというわけでもありません。人を脅してくるようなものにまず従ってみなければ哲学はわからない、などということは絶対にない。

これこれがわからないとおまえには哲学がわかることはないだろうとか、哲学書を読めることはないだろうなどと脅してくるように見える偉そうな言葉からは、ためらわずに身を退いてかまいません。

またその反対に、だからこそ哲学なんか意味のない、くだらないものだと軽視するような虚勢もあるでしょうが、そのような安易な態度からも、同じだけ慎重に距離を取りたいものです。

すべてが哲学に見えてくる経験

本書は一種の哲学入門、哲学へのお誘いとして読んでいただけます。

ところで、哲学入門の先には数々の哲学書が控えているのがふつうです。哲学入門を読んだら、その後は、いわゆる哲学書を少しでも読んでいってくださいねというわけです。そのような考えかたは、入門書を書く側にも読む側にも疑われていないことが多い。

しかし、私の考えはそれとは異なっています。哲学入門の先には、いわゆる哲学書を読むことが待っているのでは必ずしもない。

私たちの先には、言ってみれば、あらゆるものが哲学に見えてくるという奇妙な経験が待っている。もちろん、いわゆる哲学書もそのなかに含まれていてかまわないわけですが、べつに哲学書をもっぱら読む必要があるわけではない。

何を見ても哲学が見える、哲学に見える。本書で私が示したいと思っているのはそのような、世界のちょっと変わった見えかたです。

哲学は哲学史と同じものではない

さて、哲学は何ではないのでしょうか?

哲学とまぎらわしいものはたくさんありますが、ここでは三つだけ挙げます。

哲学は、哲学史と同じものではありません。これが第一点です。

哲学史というのは、連綿と続く、いわゆる哲学者たちの営みを語っていく歴史のことです。実際には、哲学が哲学史をなぞることで学ばれることはしばしばあります。少なくとも大学ではそうです。

なるほど、その学びかた自体が完全に間違っているとも思えません。私自身も、ある程度はそのようにして哲学を学んできました。

しかし、その学びかたからひるがえって、「哲学というのは哲学者という偉い人たちが次から次に精妙な珍説を提示する一連の物語だ」というような印象をもたれると困ります。

哲学者と呼ばれる著名な人々はたしかに哲学者であり、それも相当に偉大な哲学者ではある。それを否定しようというつもりはありません。彼らの難解な著作はいずれも精読に値すると思いますし、かく言う私もいつも読んでいます。

しかし、彼らが今日に至るまで集団で形作っているらしい思想の連鎖を学ぶことと、哲学を学ぶことは、まったく違います。

少なくとも、学びのパッケージになっている哲学史は、哲学者と呼ばれる人たちの営みの正史にすぎません。正史というのは、政治的制度や文化的制度といったものが自らの来歴や正統性を保証するために組織する物語です。そのような制度によって、個々の哲学者たちもれっきとした哲学者として数えられていきます。

その歴史は虚偽を含んでいるばあいもある。あるいはまた、完全に虚偽ではないにしても、現行の制度を利するように、故意にせよ無意識的にせよ取捨選択や誇張、歪曲《わいきょく》が加えられていることもある。

私は、そのような物語が存在するということ自体を否定したり批判したりしたいわけではありません。そのような物語を読むことを通じて、いまある哲学という制度のありかたを肯定的にせよ否定的にせよ透かし見て学び取れることも少なくないでしょう。

ただ、その物語が哲学の純正な物語だとか、唯一の物語だとか考えることには、あまり意味はなさそうです。そもそも、正史は時代とともに作り変えられていってしまうものでもある。

哲学史を通して自分なりに学べることはたくさんあるにしても、哲学史を哲学と混同しないということは本当に重要です。

哲学者というのは哲学をする人を指すわけですが、哲学史によって哲学者と認定された人以外にも、哲学者はたくさんいる。少なくとも私はそう考えています。

哲学の展開も、哲学史によって保証されている以外にもさまざまなやりかたがあります。そもそも、制度によって哲学者と認定されている人たちにしたところで、べつに正史の一部になるために哲学をしたわけではありません。つまり、正統と見なされる哲学なるものを引き継いで次世代に伝承するなどということのために哲学をしていたわけではない。

哲学者は襲名しない

なるほど、正確を期して言えば、哲学するということに一種の伝承という側面がないわけではありません。実際、「哲学する心」のようなものが師から弟子へと伝えられるということはありそうです。

その師弟関係は大学その他の制度によって養われることもあるでしょう。学問分野としての哲学は今日、主として大学で学ばれるものですが、その意味では、正史の学びに合わせて、大学はこの「哲学する心」のようなものを伝えていくのに恰好《かっこう》の制度となっているとも言えます。

また、哲学の師を本のなかにしかもたない弟子というのもいるでしょうが、そのばあいにもたしかに、何かが仮想的な師弟関係を通じて伝承されてはいます。

しかし、そのように何かが伝えられるとはいえ、哲学は本来、そのつど一代かぎりのものです。このことはいくら強調しても強調しすぎにはならないでしょう。

もちろん、過去や現在の他人が企てた「哲学」を参照する、ということは充分にありえます。実際にせよ仮想にせよ師がいることも多いでしょう。そうしてはいけないのだ、そのつどゼロから作らなければいけないのだ、などという杓子《しゃくし》定規な決まりが逆にあるわけでもない。

ただ、それをふまえてもなお、哲学という営みはやはりそのつど、他から完全に独立してなされるものです。他の人による「哲学」を参照するときでさえ、人は、その哲学にどれほど深く影響されようとも、その哲学を継いでいるわけではありません。「哲学する」ということにおいては、かつてあったものを次の世代に伝えていくということが問題になっているわけではありません。

哲学者は襲名しない。二世哲学者、三世哲学者はいない。哲学している人たちはお互いにバラバラです。

独自性を示そうなどと色気を出さなくとも、哲学する人はおのずと、哲学することにおいて他から隔絶しています。しかし、それが遠目に見ると群れをなし、また時間軸上に並んでいるようにも見える。そのありさまを切り取り、何らかのしかたで整理して提示するのが哲学史であるというにすぎないのでしょう。

正史に対して、スピンオフやサイド・ストーリーや裏歴史もいろいろと考えることができます。また、そのような副次的な物語においてさえけっして語られない哲学や哲学者も枚挙にいとまがないはずです。

詳しくは次章以降でお話ししようと思いますが、哲学というのは、気がついてみれば誰にでもできてしまっているかもしれないものなのです。何かを継承しなければできない、何かのお墨付きを得なければできない、というものではない。「哲学する心」のようなものさえ自分のなかにどこかから飛び火してくれれば、そこから先は誰でも自分で哲学してしまい、後はその火を自分で養っていくことになります。

その火は、実際にせよ仮想にせよ師から飛んでくるかもしれません。あるいは、個人的、社会的その他の途轍《とてつ》もない状況が、突拍子もないタイミングで勝手にこちらに火花を飛ばしてきて、事実上の師となることもあるでしょう。また、日々を過ごしているうちにいつの間にか、気づかぬままに自分に哲学の火がついているということもありえないことではありません。

どのような経路にせよ、その「哲学する心」のようなものの火花が飛んでくるということがありさえすれば、誰にでも哲学はできる。あなたがいわゆる狭義の哲学者であるか否かは問題ではありません。

哲学というのはその意味で、一部の知的エリートに独占されている営みではなく、いわば、きわめて民主的な営み、知の庶民に対して開かれた自由な営みなのです。

哲学は高邁《こうまい》な理念を論ずる営みとはかぎらない

次に行きましょう。哲学とは、「高邁な理念を論じていなければならない営み」ではありません。これが第二点です。

日々の生活と縁遠いように思える高邁な理念を論じているもの、それが哲学だ、という印象があるかもしれません。世事から超然として、「真実とは?」とか「美とは?」とか、ああでもないこうでもないと考えているというような印象です。

諷刺《ふうし》される哲学者のイメージがあるとすれば、それは、遠大なことを孤独に考え続けるあまり目の前のものが見えず、足元のバナナの皮で滑っているというようなものかもしれません。

たしかに、真実やら善やらを大きく問うことも哲学ではあります。しかし、それだけが哲学だというわけではない。

なるほど、古代から真・善・美といった高邁なテーマが哲学において問われてきたことは事実です。しかし、そもそも、真・善・美を問うた人があらかじめ哲学の対象を手にしていたわけではありません。

哲学者は、「よし、哲学するか」と思い立って、哲学のパレットから、哲学的なテーマであると保証済みの「善」という名の絵の具を選んで哲学の小綺麗《こぎれい》な絵を描くわけではない。善なるものを哲学的に問うたら、それ以降、善が哲学のテーマになった、というのが本当の順序でしょう。

絵の譬《たと》え話を続けるなら、あなたがそのへんに転がっている泥を取りあげて絵を描いたことによって、その泥はそれ以降、哲学の絵の具だったことになるし、またそれ以降、その絵は哲学だったことになる、ということです。

世事から遠いもの、賢そうなもの、深遠そうなものなど、哲学らしさのイメージを形作っているものは、いずれもイメージにすぎません。

もちろん、ばあいによっては哲学にはそういう側面が見られることもあるでしょう。物事を突きつめて考えると、結局は、そのようなイメージをもつ何かに到達することも多いというのは事実です。

しかし、哲学はそれだけではないし、必ずしもそこからスタートするものでもない。

哲学は悩みでも悩みの解決でもない

哲学は深刻な悩みそのものではないし、ましてや悩みの解決でもない。これが第三点です。

哲学にはどうしても、「人生とは?」「幸福とは?」「正しいとは?」「死とは?」と、眉間に皺《しわ》を寄せて考えるイメージがつきまといます。さしずめ、オーギュスト・ロダンの『考える人』のイメージです。

もちろん、哲学するときに悩むことが多いのも事実でしょうが、深い悩みやつらさが哲学を基礎づけているわけではありません。苦虫を嚙《か》みつぶしたような顔を四六時中していなければならないわけではない。軽々とした哲学、愉快な哲学だって、あってかまわない。

なるほど、哲学と宗教には文化的に言って近さがないわけではありません。図書館で本を探すとき、「日本十進分類法」というものを頼りにすることがあるでしょう。その「100番台」といえば「哲学・宗教」です。「日本十進分類法」の由来である「デューイ十進分類法」では、100番台が「哲学と心理学」、200番台が「宗教」ですが、やはり隣どうしです。

本質的なこと、観念的なことをあれこれ突きつめて考えるという点では、哲学と宗教にはたしかに共通のところがある。

しかし、哲学は、生死を含む人の深い悩みに対して、救済や解放という解答を一方的に与えるものではありません。

第一章　哲学を定義する

哲学の定義

哲学は、歴史に属するとはかぎらないし、高邁である必要はないし、心の悩みも解決してくれなさそうだ……。

では、哲学とは何なのか？　私には、この問いに対する、それなりに簡潔な回答があります。

それは、私が何年もかけてあれこれと読んだり考えたりして練りあげたものであって、何か有名な本に同じものが書いてあるわけではありません。また、比較的ゆるい定義ではありります。制度的な哲学だけを問題にしているわけではありません。

しかし、少なくとも私の確認したかぎりでは、この定義は「哲学」と見なされてきたすべての営みに妥当するし、「哲学」でないものを含んでもいません。

その、私のお手製の定義は次のとおりです。

哲学とは、概念を云々《うんぬん》することで世界の認識を更新する知的な抵抗である。

ここで使われている「概念」「云々」「世界」「認識」「更新」「知的」「抵抗」という言葉について、順に説明していきましょう。

ちょっと長い説明が必要になる言葉もあるし、さっと済ませられる言葉もあると思います。また、重複する説明もそれなりに出てくるでしょう。が、あまり気にせずに、勢いよく、ざっとお話ししてみます。

概念――一貫性のある単語・表現

「概念」とは何でしょうか?

類語に「観念」や「理念」もあります。「観念」は「概念」よりはゆるい、思念一般というような拡《ひろ》がりをもち、「理念」は「しかるべき、まっとうな考えかた」といった規範的なニュアンスを含みもつ、という違いがいちおうあります。ここでは「概念」を使いましょう。

概念というのは、一貫性のある単語ないし表現のことです。

おそらくはこの一貫性ゆえに、哲学は融通の利かない頑固な見かけを帯びています。つまり、ある単語ないし表現をここでこれこれの意味で使ったら、この先はどこでもそれと同じ意味で使うぞ、変えないぞ、ということです。

哲学は、意味を変えないということそれ自体に意味を与えている、と言ってもいいでしょう。この知的な営みにおいては、その頑固さに重みが置かれるということです。

概念の定義はさしあたり不要

概念はそのつど、使われるにあたって定義づけがなされたり、あるいは明示的ではなくとも何らかの定義が前提されていたりすることが多いのですが、そのような定義づけは哲学においてはさしあたり必須ではありません。たしかに、定義づけから出発すればわかりやすいし、親切でもありますが、そうでなければならないというわけではない。

何らかの単語や表現が頑固に使われる。その頑固さが多かれ少なかれ明らかなしかたで伝えられる。そのことによって議論の全体が、論理の場としての一種の緊張を帯びる。大事なのはそのことです。定義が問題になるのはその後のことです。

とはいえ、一貫性が求められている以上は、その概念に対して定義を求める「……とは何か?」という問いは、立てようと思えばつねに立てることができるのでなければならないというのも事実です。明確な回答に達することができないとしても、少なくとも問いは立てられうるのでなければならない。その問いは、その概念を立てた人が問うてもいいし、後からそれに触れた人が問うてもいい。逆に言うと、それを問うことができるという可能性が保証されていないような概念は、哲学的概念の名に値しません。

概念の定義づけは、最初にどうしても必要だというわけではないけれども、定義づけが求められたときには、定義づけの試みはつねに可能でなければならない。その試みが失敗するとしてもです。概念に一貫性が前提とされているというのはそういうことです。

その一貫性ある単語や表現というのは、普通名詞や名詞句であることが多いのですが、それ以外の言いまわしが「概念」的に用いられることもあります。極端なばあい、文章の形になっていてもいい。

ともかく、どのような形をしているにせよ、一貫性、融通の利かなさが志向されている決まり文句になっているということ、そしてその頑固さが多かれ少なかれ伝わる形になっているということが重要です。要するに、それが議論のなかで多少なりとも際立っている、目立っているということが大事です。

概念は矛盾がないとはかぎらない

ただ、注意しておきたいことが一つあります。なるほど、概念に一貫性は求められているのですが、だからといって、あらかじめその概念や、概念の用いられる論理の場に、矛盾がないということが絶対に求められているというわけではない、ということです。

ここは誤解されることの多い点です。哲学というと、矛盾のない世界像や体系を提示することを責務としているように思いこんでいる人が少なくないのですが、それは哲学に対して第一に求められていることではありません。

もちろん、矛盾がなければそれに越したことはないでしょう。そこは世の中の他の物事と同様であって、矛盾していないということは矛盾しているということよりはるかにましです。そのほうが説明がすっきりする。しかし、そのような矛盾のなさが、あらゆることよりも優先されるわけではありません。

概念という一貫性ある言葉を思考の場に投じることで何が起こるかを見る、ということのほうが、矛盾のない世界をこしらえることよりもはるかに重要です。むしろ、その振舞いによって、それまでは隠れていた矛盾が目立ってくるかもしれない。矛盾が明らかになるのはまずいことではありません。いや、哲学にとってそれは大きな収穫にさえなります。

ある言葉や表現への一貫した注意の集中がなされ、そのような集中が際立つ、ということがとにかく大事です。

概念を云々すること――創造・廃棄・歪曲・流用その他

次は「概念を云々する」の「云々」です。「云々する」とは何でしょうか？　それは、何らかのしかたで話をする、議論をするということです。

概念をめぐって話をするやりかたは、いろいろとあります。一番わかりやすいのは「創造する」というものです。概念を作りあげる、ということです。

ただ、それ以外にも「云々する」やりかたはあります。哲学的概念として使われてきたものを使えなくする、というのでもいい。廃棄ですね。すでに使われている概念を、従来とは違うやりかたで使う、というのでもいい。歪曲です。別な局面で使われていた概念をしかじかの議論の土俵にもちこむ、というのでもいい。流用です。

このように、創造、廃棄、歪曲、流用と、「云々」のしかたはさまざまあるわけですが、要は、単語や表現に一貫性をもたせて議論の場に導入するということが大事です。

その結果、言葉遊びのような見かけが生じてしまうこともあります。それもまた、哲学にしばしば見られる特徴ではあります。ともあれ大事なのは、概念をこだわって使うこと、一貫性に対して頑固に義理立てすること、議論がその結果どこに辿《たど》り着くかをきちんと見届けることです。

概念の緊張が及ぶところとしての世界

次は「世界」です。この単語の日常的な使いかたにおいてもそうですが、世界というのはいろいろな捉えかたができるものです。その拡がりは物理的な意味での宇宙に相当してもいいし、人間社会に対応していてもいい。あるいは、一個人の頭のなかのヴィジョンを「世界」としてもかまわない。

大事なのは、その「世界」が何らかの全体である、まとまりであるということです。その全体は、すでに述べたとおり矛盾を含んでいてもいい。破綻があってもいい。ただし、全体として、一つのまとまりとして把握されるのでなければならない。

感覚的な物言いになってしまいますが、一貫性をもつ概念なるものによってその世界の全体に一挙に緊張が走る、というようなイメージをもっていただければいいのではないかと思います。というか、その緊張の及ぶところが、その哲学における「世界」です。

エレメントについて――ワインと魚

ちょっと余談的に、「エレメント」という言葉を使って説明してみましょう。これは、ふつうは「要素」と訳す単語ですが、じつはこの単語が示しているのは、単に、しかじかを成り立たせている必須の最小単位というようなことだけではありません。

「水は魚のエレメントだ」という言いかたがあります。そのばあいのエレメントは「境位」「本領」などと訳される慣行があります。魚の棲息地《せいそくち》である水なるものが、魚の「エレメント」だと言われることで、一挙に緊張を獲得する。液体のH_2Oを主成分とするご存じの拡がりが、川であるか湖沼であるか海であるかを問わず、まるごと、魚の棲息する境位、本領として立ち上がってくる。それが「エレメント」ということです。私が「世界」と言うときに想定しているのはそれです。

川島なお美（一九六〇―二〇一五年）という女優がいました。この人は、「私の体はワインでできている」という変わった発言をしたことで知られています。「私、事故に遭って大量出血でもしたら、輸血はやっぱりカベルネ・ソーヴィニヨンをしていただけたら」と言っていますから、要は「私の血管には血の代わりにワインが流れている」という意味でしょう。これはもちろん、ワインをいつも飲んでいるから、血までワインになってしまっているよ、それほどワインが好きなんだよ、という冗談です。

くどく言い換えると、私の世界はまるごとワインだ、あるいはワインがまるごと私の世界だ、ワイン以外に私の世界を意味づけるものはない、すべてのものはワインとの関わりにおいて意味をもつ、他のものではなくワインこそが私の世界を私の世界として一挙に立ち上げてくる、その意味でワインが私には不可欠だ、必須だということです。ワインが私の棲息地、エレメント、つまり私の世界だ。

そのような境位を一挙に立ち上げるのがワイン、つまりは一貫性ある概念というものであって、ひるがえって、その概念の威の及ぶところが「世界」でありエレメントです。ワインのないところは彼女の世界の外です。

あるいはまた、さかなクン（一九七五年―）という、魚類に詳しいタレントのことを考えてみてもいいでしょう。彼のエレメントは、もちろん魚類です。

彼は驚くと「ギョギョッ」と言いますし、最近では「……でございます」を「……でギヨざいます」と言ったりしています。あれは「私のエレメント（世界）は魚類です、他ならぬ魚類なるものが私には必須です、すべてのものが魚類との関わりにおいてのみ意味をもちます」ということを伝える符牒《ふちょう》だと思えばいい。「ギョ」が唱えられるごとに、私たちの——というか、より正確には彼の——世界に一挙に、ピーンと筋が一本通る。

もちろん、この「ギョ」はさすがに哲学的概念には至らないものでしょう。自己演出のための個人言語の発明というか、概念未満の呪文のようなものです。ただ、この「ギョ」がつねに聞き手の意識をさかなクン自身のほうへではなく、彼のエレメントのほうへ、魚類のほうへと向かわせるということは強調しておく必要があります。

そもそも、さかなクンのばあいには自分の名前がすでにエレメント自体に乗っ取られてしまっているわけです。仮に川島なお美について同じことを言えば、彼女の名前が「ワインさん」だったというようなことです。その意味では、さかなクンは自分のエレメントに浸りきり、エレメントと一体化しているという窮極の状態に達しているとも言えます。

時間は金銭である

本章では、いわゆる狭義の哲学の実例は出さないつもりだったのですが、一つだけ挙げましょう。とはいえ、それはもはや哲学としてはすり切れてしまい、誰でも知っている慣用句になってしまったものです。

「時は金なり」です。

これは、十八世紀アメリカの思想家ベンジャミン・フランクリン（一七〇六―九〇年）の考えた金言です。意味はおわかりのとおりです。時間を無駄にするなよ。ちょっとでも時間があればコツコツ稼げ。ダラダラ過ごすと、その時間に稼げていたはずの金をドブに捨てたのと同じことになってしまうぞ。『貧しいリチャードの暦』（一七三二―五八年）や「若き職人への助言」（一七四八年）その他で、同趣旨のことが幾度も語られています。

いま、こんな小言ばかり言う年長者がいたとしたら、私なら勘弁してもらいたいと思います。こんな金言があったせいで、それこそミヒャエル・エンデ（一九二九―九五年）も『モモ』（一九七三年）を書くという面倒な手間に時間を割くことを余儀なくされた。そこに登場する「灰色の男たち」に影響された人たちが実際に「時間は高価だ――無駄にするな！／時は金なり――節約せよ！」と標語を掲げています。あまり嬉《うれ》しい言葉ではありません。

フランクリン本人はいわば叩《たた》きあげの成功者で、明朗闊達《かったつ》の極みでもあります。その半生を語る、いわゆる『フランクリン自伝』（一七七一―九〇年執筆）には一読の価値があります。しかし、彼は「ダラダラするなよ、俺みたいにやればいいんだよ」と爽やかな笑顔で口にする、圧迫的な説教気質の持ち主でもあっただろうと想像できるだけに、なおのこと「時は金なり」にはげんなりさせられるというのが正直なところです。もちろん、彼からしてみれば、少し働きさえすれば経済状況が上向きそうな、怠惰に見える貧民を前にして、「少しはマメに働けば生活が楽になるのに」とつい助言したくなったというだけのことなのだろうとは思いますが、それにしてもです。

さて、私はこのように、有り体に言って「時は金なり」という言葉が好きではないのですが、ただ、これは哲学によって世界が、つまりはエレメントが立ち上げられる典型的な金言ではあると思っています。

Time is money. 慣用句になってしまって、もはや意味が十全に取れなくなっているかもしれませんが、もちろん時間イコール金銭ということです。私たちが過ごしている一日、一時間、一分、一秒という時間があるわけですが、フランクリンの目にはそれがすべてお金に映っている。それ以外のものには見えない。すべてがワインに見えたり、魚に見えたりするなどというのは、まだかわいいほうです。

「若き職人への助言」には次のようにあります。

時間が金銭だということをおぼえておけ。労働によって一日に一〇シリングを稼げる者が、半日そのあたりに出歩いたり、怠けて座っていたりしたら、その気晴らしや怠惰のあいだに費やすのが六ペンスだけだとしても、出費がそれだけだと見積もるべきではない。実際には、その他に五シリングを費やすというか、捨てている。

その人はたとえば五時間、働かずに遊んだわけでしょう。そのばあい、一時間に一シリングを稼げる彼は、その五時間を捨てたのと同じだ。なぜなら、「時間は金銭」だから。稼げるはずの五シリングを捨てるということは、働かなかった五時間が捨てられるということだ……。怖《おそ》ろしい考えかたです。

言うまでもありませんが、私たちは遊んでも怠けても、べつに時間を捨てているわけではありません。時間はただ楽しく、あるいはただぼんやりと過ぎた。何を拾いも捨てもしていない。働けたのにその代わりに遊んだというのではなく、労働とは関わりなく、ただ遊んだ。私たちは働かないこともつねにできる。もちろん、金はある程度はあるに越したことはないにしても、不断に金を増やすことなど万人の人生の窮極の目的でなければならないわけではない。

しかし、フランクリンは頑固です。彼の目には時間は金銭に換算できるものにしか見えていない。あくせくとした、お金まみれの世界……。「あ、五時間空きそうだ。もったいない。テイクアウトの配達員をやらなきゃ」。

こういうヴィジョンを一挙に成立させてしまう等式を立てるというのは、典型的な哲学的挙措だと言えます。その内容にはまったく同意できないとしてもです。

認識——頭で世界がどう見えるか

さて、世界はそれでわかったとして、その世界の「認識」ということが次に来ます。認識とは何でしょうか？

認識というのは、単に情報をニュートラルに受容する、Aという情報があったときにAと理解する、ということではありません。認識は一種の知覚、感覚です。そこには情緒や情感がおのずと含まれます。しかし、この認識という感覚は五感には属していない。

うまく説明しにくいのですが、ここでは単純に、純然たる「頭」の感覚だ、と思っておけばいいと思います。ここで言う「頭」は脳という臓器のことではありません。これはさまざまな呼ばれかたをするものですが、英語ならmindがほぼそれに相当するものだと言えばおわかりになるでしょう。「頭を働かせる」というときの「頭」のことです。

ちょっと対比的に考えてみましょう。人間には、五感の更新をおこなう営みがあります。芸術と呼ばれています。知覚の媒体を用いておこなわれる営みですね。それに対して、認識という「頭」の感覚を更新するのが哲学だということです。「世界」を「頭」でどのように知覚・感覚するか、ということです。

つまり、ここでの「世界の認識」というのは、あえて「頭」を視覚に譬えれば、「世界がどのように見えるか」、「世界の見えかた」と言えるようなものです。

見えかたの更新——伝承ではない営み

次は「更新」です。哲学は世界の認識を更新する、ということは、哲学は単なる伝承ではありえない、ということでもあります。この点はすでに少し述べました。

哲学的な意味で「考える」というのは、哲学的な学説であれ、しかじかの社会において支配的な主張であれ、何らかの学説や主張をそのまま受け容《うい》れたり、繰り返したりすることではありえません。ましてや、そのような学説や主張に屈服したり、おもねったりすることではない。

どんなに稚拙であろうとも自分なりに考える、という契機が絶対に必要です。もちろん、これまでの学説や主張を肯定的に参照することが禁じられているということでもないけれども、すでに存在している考えかたのセットを、それがすでに存在しているというだけで鵜呑《うの》みにするだとか、そのまま他の人に伝えていくだとかいうことは哲学的な営みではありません。

哲学的な意味での思考は、これまでの世界の「見えかた」を、ある意味では否定することです。流通している、支配的な、マジョリティの、当たり前の、これまでどおりの「見えかた」というものがある。それはまた、自分もまた意識的にせよ無意識にせよ採用してきた「見えかた」であることが多いわけですが、そのような支配的な「見えかた」に大なり小なり打撃を加え、違う「見えかた」を示すのでなければ、その営みは哲学の名に値しません。

知性──人は誰でも等しく頭がいい

だいぶ進みました。あとは、「知的な抵抗」というところが残っています。まず「知的」について説明します。

哲学というのは「知的」な営みです。つまり、「知性」を駆動させる営みです。

知性とは何でしょうか？　これは大問題で、本当は精緻な議論が必要なのですが、ざっとお話ししてしまいます。

知性というのは、要するに、感性や情緒にとどまらない、思いなしの働き、ということです。「にとどまらない」というところが重要で、感性や情緒がこの思いなしに関わらないわけではありません。

これはすでに少し「認識」のところで述べたことでもあるのですが、知性に感性や情緒が関係しないということはありえません。あるいはまた、感性と知性が必ず対立しあっているというのでもありません。そのような図式で捉えられることもしばしばあると思いますが、実際には必ずしもそうではない。そもそも、好奇心や知的興奮をはじめとする知的感性というものが存在します。ただ、それでも大事なのは、知性は感性だけでは終わらない、というところです。

知性というのは、真剣に考えたり、漠然と思ったり、念じたり、思い返したりといったさまざまな働きを見せます。簡単に言えば、それは人間が人間であるがゆえに働かせているものであって、すでに述べたとおり、これが俗に「頭」と呼ばれています。

「頭」の働かせかたにはいろいろなタイプがあるし、その良《よ》し悪《あ》しの判断もいろいろあるでしょう。また、記憶に重きを置くか、それとも記憶されているものを引き出して組み合わせることのほうに重きを置くかなどといった違いもさまざまにあります。ただ、それらの働きをひっくるめて「頭」と言うことはつねに可能です。それが知性です。

また、この知性は「賢さ」や「速さ」といった価値判断からも切り離して考えられるものです。「知的」という形容からは、誰それの「頭のキレ」を容易に思い浮かべてしまいます。つまり、ある人が他の誰それよりも賢いとか考えるのが速いとかいうときに、私たちの習慣では、その人は「頭がいい」と言い、その人を「知的」と形容するということがおこなわれます。

じつは哲学においては、そうしたことは問題ではない。知性が働いているか、働いていないかということだけ、知性の有無ということだけが問題になる。つまり、ちょっと変な言いかたをすれば、人は誰でも等しく「頭がいい」のです。

議論を端折《はしょ》りますが、ここで「知性」と呼んでいるのは、およそ言語を用いる者であれば誰であれ備えている働きのことです。細かいことを言えば、その知性には非言語的なものも関与することができますが、そのばあいであっても、人が言語を運用しているということが知性の存立の大前提です。多少なりとも言語を媒介としてなされるあらゆる「頭」の作用を知性の発露として捉えることができます。

感情の有無や割合はさまざまです。知的だからといって必ずしも「冷たい」わけではありません。

たしかに、冷たく見えることもないわけではありません。他の人の感覚に対する思いなしと自分の考えとを比べて自分の考えのほうを取るとか、感覚やそれに対する思いなしをその他の考えのために却下する、というような知性の働かせかたがおこなわれることはありますが、そういうときには「知性」イコール「冷たい」、つまり「知性は感覚と無縁だ」と思われる、というにすぎません。あるいは、有害な情緒が知性によって排撃されるようなばあいも同様です。

あらかじめ、知性が感覚や感情から離れたところにある、というわけではありません。知的であることが情のなさとして了解されることの、何と多いことか！

感情も知性も、いずれも人間に等しく備わっており、しかも、補助的にであれ背反的にであれ互いに関わりあうことをやめはしません。感情的な知性もあるし、知性に関する感情もある。知性は、その意味で、熱くもないかもしれないが冷たくもない。あるいは、熱くもありうるし、冷たくもありうる。

知性とは単に、みんなが等しくもっている「頭のよさ」、「頭のキレ」なのです。そして、

「頭」を使う人に「心」がないわけではけっしてない。

抵抗——言うことを聞かない、聞けない

最後は「抵抗」です。抵抗とは何でしょうか？

抵抗とは、やむにやまれぬ振る舞いです。「大きなものに流されそうなときに、断固踏みとどまること」です。それは運動の形を取ることもあれば、不動の形を取ることもあります。「大きなもの」が不動を強いてくるのであれば動くことが抵抗ですし、動きを強いてくるのであれば動かずにいることが抵抗です。総じて、「言うことを聞かないこと」と言ってもいい。

既得権益に乏しい者が、支配的な権力のいや増す介入に対して口にしてしまう「もう、これ以上おまえたちの好きにはさせられない」というのが抵抗です。

ここで軽々しく「権力」という言葉を使いましたが、それは政治的権力だけを指すわけではありません。支配的・体制的な力はすべて権力です。停滞、よどみ、惰性、無思考、泣き寝入り、忘却といったものを強いてくる、あるいは「まあ、これでいいか」と妥協を

促してくる、すべての優位な力のことです。

「こうすべき、こうあるべき」とする、あらゆる意識的・無意識的な、有形・無形の思いなしが、広い意味での権力を駆動させている当のものです。たとえばの話、制度はすべて権力を有しています。事柄の自明視を強制してくるものは、その強制が意識的であろうと無意識的であろうと、すべて権力です。自分のなかにその権力が宿ってしまっていることもよくあります。

そのような、広い意味での権力にあらがってしまうことが「抵抗」一般です。

抵抗は、強い意志を背景として、決心して、自分に無理をかけて立ち上がる、というしかたでなされるとはかぎりません。もちろん、抵抗すると軋轢《あつれき》や衝突がほぼ必ず生ずるので、きつさ、つらさが生ずるのは事実でしょうが、抵抗は通常、やむにやまれず、ある意味では自然に生ずるものです。はたから見ると不自然に見えることがあるとしてもです。

また、その自然な抵抗の引き金は、自分のうちに少しずつこしらえられていることもあるし、何か外的な状況が自然とそのような引き金になることもあります。誰かの死とか、災害とか、大々的な不正とかいったものです。それは、自分に直接関わるものであるばあいもあるし、自分に直接は関わらなくても、なぜか引き金になってしまうばあいもある。義憤が引き起こされるばあいなどはそれにあたるでしょう。

抵抗の形はさまざまです。もちろん、一番イメージしやすいのは政治的な抵抗としてのデモ、集会、リコール、蜂起、テロといったもの、あるいは労働争議としてのスト、サボタージュ、遵法闘争といったもの、また不買運動その他のボイコットや企業への抗議などかと思いますが、抵抗はそれにとどまるものではありません。

抵抗は多様です。芸術制作という形を取ることもあるし、サボりや無視という形を取ることもある。社会的規範に対する違反という形を取ることもあります。

あるいは、意図的にせよ無意識にせよ、体が動かなくなるとか、病気になってしまうとかいった営為も、窮極的には抵抗になるばあいがあります。体が、心が「言うことを聞かない、聞けない」。とにかく、「もうダメだ、このままだと自分はしっくりいかない」ということで、場違いなもの、ふつうではないものと制度側から見なされる行動や不動が引き起こされてしまうとき、それは抵抗です。

抵抗にいいも悪いもない

抵抗は、それがうまくいくかいかないかという価値判断とは無縁です。要するになるほど、戦略的な抵抗を企むこと、抵抗の有効な組織化を計画すること、「勝つこと」を考えることにも意味がないわけではありません。勝てるに越したことはないでしょう。しかし、獲得されるべき効果や成果から遡《さかのぼ》って抵抗の是非を問い、良し悪しを判定するようなことにはまったく意味がありません。抵抗に、いいも悪いもありません。このことは、この先も、繰り返しお伝えすることになると思います。

たとえば、私はデモにときどき行きますが、いったいデモに行って何の意味があるというのでしょうか?

デモに行っても、たいていは何も変わらない。デモはマスコミに群集の空撮写真という「絵」を提供したり、問題になっている話題に関する記事を載せる口実を作ったりはできますが、せいぜい効果はそのくらいでしょう。効果という点から言えば、政治参加としては投票のほうがはるかに正攻法であることに疑念の余地はありません。

しかし、だからといって、デモに行くことが否定されるべきとは私はまったく思いません。デモに行くというのは、効果から遡ってなされる営みではない。本当に怒ったとき、なぜかデモに行ってしまう人たちがいる。その人たちは、なぜかプラカードを作り、気がついてみたら「霞ケ関」駅やら「国会議事堂前」駅やらで下車している。なぜか、知らない人たちと群れている。なぜかシュプレヒコールをあげてしまう。それだけのことです。

皆さんは、叩かれて「痛い」と言っている人を見て、「きみが『痛い』と言って何の意味があるのか？　叩いてきた奴《やつ》に反撃しなければ意味はない。だいたい、その『痛い』という声は小さかった。どうせ言うなら大声で、相手に確実に聞こえるように言うべきだった」云々と批判するでしょうか？　そんな批判は無意味です。

叩かれて「痛い」と言うこと、これはすでに抵抗です。それ自体には何の意味もないと取られることもあるし、そもそも効果がまったく想定されていないことも多い。しかし、「もう、こんなことはいやだ」ということがおのずと発せられている。抵抗というのはそういうものです。

さて、哲学に話を戻します。哲学もまた抵抗です。それは知的な抵抗です。哲学という抵抗もやはり、有用性や有効性によって価値を計られることはありません。

つまり、哲学という抵抗は、世界を実際に変革するとはかぎらない。世界に実際的な影響を及ぼすとはかぎらない。抵抗によって状況が変わることももちろんあるけれども、変わらないことも多い。勝つこともあるけれども、負けることもたくさんある。

しかし、勝とうが負けようが、当の哲学の営みによって、そのとき「世界の見えかた」はすでに変わっている。そのような、知的な知覚の変容というところで抵抗をやすやすと遂行し、概念のたわみが堪えられる限界までじりじりと抵抗を継続するのが哲学なのです。

第二章　隷従者の抵抗

『揺れる大地』と『スパルタカス』

というわけで、「哲学とは、概念を云々することで世界の認識を更新する知的な抵抗である」としましょう。

では、この先、具体的にはどのような営みが哲学なのか、そしてそこで抵抗がどのように確認されるかを、個別の事例を挙げながら見ていきましょう。

つまるところ、どんなところにも哲学の種は転がっているし、どんな人も哲学しはじめてしまう。どんなところにも権力関係はあり、至るところで抵抗は生ずることがある。その抵抗に際して、一貫性のある概念となる言葉を導入し、世界の認識を新たに組織してしまう人がときどきいる。それが「哲学者」です。その試みが成功するか失敗するかは、当の「哲学者」にとっては二の次です。

本章ではそのような「哲学者」を、非常に有名な二本の長篇《ちょうへん》映画のなかに見つけてみましょう。

二本の映画のあいだには直接の関係はありません。とはいえ、漠然とした共通点がなくもありません。

両方とも第二次世界大戦後に、制度的隷従からの解放という、明らかに共産主義的なメッセージをもつ映画として制作され、受容されました。つまり、両方とも、狭義の「抵抗」をめぐる映画でもあります。

また、両方とも、ゼロから作られた純然たるフィクションではなく、本当にあっただろうことを参照して作りあげられたフィクションとなっています。そして両方とも、原作や発想源のたぐいが小説としていちおう存在してはいますが、脚本はそこから大幅に逸脱しています。

さらに言えば、両方とも、現在のイタリアの領土に属する一地域を舞台にしています。

そして、作品中の「哲学者」はいずれも、英語の愛称で呼ぶならば「トニー」となります。もしかして、二本めの映画を制作した者たちが一本めの映画を観《み》ていたのか？　一本めは有名な作品ですし、たしかに観ていてもまったくおかしくはないでしょう。しかし、だからといって直接の影響がはっきりと確認できるわけでもありません。もっとも、偶然にしてはできすぎた符合があるのも事実です。

本章で扱うのはルキーノ・ヴィスコンティ監督の『揺れる大地』（一九四八年）と、スタンリー・キューブリック監督の『スパルタカス』（一九六〇年）です。

『揺れる大地』

『揺れる大地』の原題は、そのまま訳せば『大地が揺れる』です。ちなみに、作中では原始的な石積み作業のシーンや脆弱な家への言及がしばしば見られることもあって、もしかすると地震がすべてを崩壊させてしまうのかという心配がよぎることもあるかもしれませんが、結局そんなことは起こらない。「大地が揺れる」というのは、物語の中心に据えられた一家の生活を襲った災いを譬える表現にすぎません。

この作品は、ジョヴァンニ・ヴェルガの長篇小説『やる気なし《マラヴォーリア》一家の人々』（一八八一年）を着想源にしているとされていますが、原作と映画のあいだには「シチーリアのとある漁村アチ・トレッツァで事業に失敗した下層庶民を襲う苛酷な運命」という大ざっぱな共通点が確認できるだけです。それ以外に確認できるのはせいぜい、主人公の名前が同じということくらいでしょう。

そもそも、ヴィスコンティは当初、シチーリアの漁民生活に関するドキュメンタリーを撮る予定でした。その企画が途中で、現地住民が演技をする全篇ロケのフィクションへと姿を変えてしまった。脚本ももともとは存在せず、ヴィスコンティがそのつど細かく考えては助監督に記録させるという形を取った。

このことは、以下で問題にする登場人物の「哲学」がヴェルガのではなく、まず確実にヴィスコンティの創意だろうということを示しています。

『揺れる大地』のあらすじ

物語の大要は以下のとおりです。

この作品での私たちの「トニー」、つまり「アントーニオ（Antonio）」——その土地の呼びかたでは「ントーニ（'Ntoni）」——という若者はヴァラストロ家の長男です。村の漁民たちは皆、ぎりぎりの生活を送っている。せっかく魚を獲《と》ってきても仲買人に買い叩かれてしまうからです。

仲買人と交渉するのは年長者と決まっていました。ヴァラストロ家では祖父がその役を果たしていました。しかし、そこにつけこまれていると感じたントーニをはじめとする若者は、自分たちが交渉することに決めます。しかし、彼らは不正を感じ取り、仲買人の天秤《てんびん》を奪って海に投げ捨てるという騒動を起こして逮捕される。ところが、若者の収監によって労働力が削《そ》がれてしまうことを懸念した仲買人たちは告訴を取り下げます。

釈放されたントーニは仲買人の存在こそ貧困の原因だと見抜き、一家でアンチョビを作って売ることを考えます。なお、ントーニは漁師仲間にも誘いの声を掛けますが、誰も同調しませんでした。古い家を抵当に入れて始められたヴァラストロ家の事業は、当初はイワシの大漁で好調に見えました。

しかし、時化《しけ》に無理をして漁に出たントーニたちの船が壊れてしまい、計画は早々に頓挫します。ヴァラストロ家は村八分になり、漁に出られなくなったントーニは誰からも仕事を分けてもらえず、一家は作ったアンチョビを買い叩かれ、古い家も差し押さえられ、極貧生活を強いられます。

そのうちに、仲買人が船を仕立て、漁師を雇用することになります。ントーニたちは恥を忍んで仲買人と契約し、船に乗りこむ。これで二時間半の映画は終わりです。

この大筋に、祖父の入院、ントーニの恋愛破綻、妹マーラの恋愛破綻、妹ルチーアの転落、弟コラの出奔といった一連の物語が重ねられています。本当に踏んだり蹴ったりの、救いのない悲劇です。

事実、この物語はギリシア悲劇と同じ構造をしています。ここで神に相当するのは仲買人、ひいては資本主義です。この神の定めに対して、ントーニは不遜にも孤立無援で叛《はん》逆《ぎやく》する。仲買人は時間を味方につけており、時間の経過とともに彼はおのずと窮状に追いこまれていく。抵抗を続けたントーニは案の定、最後には神の定めに屈する。神に対する英雄の身の程知らずと、それに対する運命的な裁きとしての最終的挫折を前にして、映画を観ている私たちは心の不思議な浄化を覚える……。

ントーニの恋愛

さて、後述するントーニの「哲学」とも関わってくることなので、彼の恋愛破綻の物語も辿っておきます。

映画のはじめのほうで、ントーニはネッダという娘を口説いています。ントーニは、自分が貧乏であるがゆえにネッダの親が結婚を許してくれないと考え、「今日の金持ちも明日には貧乏かもしれない。今日の貧乏人も［……］明日には金持ちかもしれない」と言います。するとネッダは「それならその話は明日しましょう」と混ぜっ返します。彼女のほうもントーニを憎からず思ってはいる。

物語が進み、ヴァラストロ家が事業を始めて束《つか》の間《ま》の成功を収めても、ネッダはすぐにはっきりと色よい返事をするわけではありませんが、週末のデートへの誘いは拒否しない。そしてデートの日、海岸の岩場で二人はついに思いを遂げる。

ところがその直後にヴァラストロ家の没落が始まります。すると、ネッダがントーニの前に姿を見せることはもはやなくなる。作中では明示されていませんが、親が許さないのでしょう。

つまり、ントーニ自身の冒頭の言葉がいわば伏線となっていて、それがそのまま成就されたわけです。貧乏だった者は金持ちになるし、金持ちは貧乏になる。金持ちだったときはネッダのいう「明日」に相当し、そのときには口説きが成功するけれども、ふたたび貧乏になってしまった者にはもはや配偶者を得る資格はない……。


「海の魚は、それを食う者のためにいる」

このつらい結末をあえて知ったうえで、物語の始まり付近に戻りましょう。

この映画は救いのない悲劇ですが、そうは言っても物語中に笑いがないわけではない。なるほど、その多くが嘲笑ではありますが、この悲惨な映画のそこかしこに笑い声が響きわたっているというのは奇妙な事実です。

この映画で最初に笑い声が聞かれるのは以下のシーンです。朝、ヴァラストロ家の男たちが漁から戻ります。今日もまた祖父が水揚げを仲買人に買い叩かれたのをントーニが咎《とが》め、二人は少し言い争う。

その後、ントーニは「きみがいなければ死んでしまうよ、愛する嘘《うそ》つきさん」というような鼻歌を歌いながら顔を洗う。すると、横で顔を洗っていた弟コラが「その歌を歌うときはフェッレッタ通りの彼女のことを考えてるんだろ?」とからかいます。それに対してントーニは、コラがほのめかしたとおりネッダを念頭に置いて、「海の魚は、それを食う者のためにいるのさ」と冗談を言います。それを聞いて、その場にいる家族が、男も女も軽く笑う。

これは、よくある漁師ジョークのたぐいとして理解されるでしょう。女性を獲物扱いしているような感じで、品のない冗談かもしれません。とはいえ、一昔前の荒くれ漁師の村であれば他愛のないものとして受け取られた軽口でしょう。

それに、これは弟に対する強がりでもあります。ントーニは実際にはネッダを獲物扱いなどしていません。二人の関係に、男が女を「釣る」とか「食う」とかいう感じはない。むしろ、男が女にベタベタと優しく言い寄っていて、女のほうもまんざらでもない。わざと気のないような返事をして、男をじらして遊んでいる感じさえあります。

さて、ントーニは休息を取る代わりにネッダに会いに行きます。なぜ休む代わりに外出するのか？　「男たちは娘たちに獲られるために作られているからだ。ちょうど、海の魚が食う者のために作られているようにである」とナレーションは言っています。つまり、この「食う／食われる」の関係は、存在するとしてもいちおうは相互的なもの、いつでも反転しうるものとされています。

シチーリアのことわざ

ところで、じつはこの言いまわしはもともとはとくに恋愛のニュアンスをもつものではなく、単に諦念や運命論を示すシチーリアのことわざの引用です。つまり、もともとの意味は「しかたがない、どうしようもない」というだけのことです。

ちょっと古いですが、一九七〇年代のヒット曲「およげ！たいやきくん」のたいやきは、海に逃げ出しはしたものの、結局は自分を釣りあげたおじさんに食べられてしまう。そのときの諦念のこもった「やっぱりぼくはタイヤキさ」というつぶやきと、このことわざは似たようなものです。そのありふれたことわざに、ヴィスコンティは恋愛のニュアンスを帯びさせてみせた。

なお、このことわざ自体は（少しだけ形が違いますが）ヴェルガの『やる気なし一家の人々』のほうにも、別の文脈で登場していました。ントーニ（という名前ですが、苗字《みょうじ》はヴァラストロではなくてトスカーノで、村人からは「やる気なし《マラヴォーリア》」一家と綽名《あだな》されています）にしつこく言い寄られたバルバラという娘が、「海の魚は、それを食う者に宛てられている」のだから諦めてくれと口にしています。もう変えられないことなのだから、というわけです。『やる気なし一家の人々』にはこのような冗談やことわざが頻出しています。漁師の生活に関わるものがとりわけ多い。「オールを使うには五つの指が助けあわないといけない」「船頭がいないと船は進まない」「居酒屋は海の港のようなものだ」「水に落ちる者はきまって濡《ぬ》れる」「いい船頭は時化になればわかる」……。ヴィスコンティは、そこから一つを大切に取りあげ、物語のなかでうまく作動するよう手を入れてやったというわけです。

哲学者の誕生――「魚たちが出口のない網のなかで」

ここまでのところ、ントーニは自分の生まれ育った世界に何らの認識の更新ももたらしていないと言えます。漁村で通用している言いまわしを、おそらくは子どものころからたびたび耳にしたことのある冗談のために使ったにすぎません。周囲の家族も、お定まりの笑い声を立てただけです。

この後、しばらくすると事情が変わります。すでに見たとおり、ントーニは仲買人とトラブルを起こし、牢屋《ろうや》に入れられ、釈放される。そこからじっくり考えはじめ、家を抵当に入れて事業を始めようと決める。

ということで、彼はまず家族を説得し、それから漁師仲間の若者たちの何人かを説得しにかかります。

この仲間の説得のほうは結局はうまくいきませんが、次のような演説によって試みられています。

みんな、聞いてくれ。おれがやろうと思っていることを言う。何年も、いや何世紀ものあいだ、おれたちは目を閉じていた。父親たちも、もうおれたちからはよく見えない、そのまた父親たちもだ。二、三日前、どんなことになったか、みんな見ただろう。みんなは、どうしてラムンヌやラリエンツやその仲間たち［仲買人たち］にいたぶられ続けたいんだ？　奴らが失うものは何だ？　奴らはリスクもなしに、稼ぎをみんなもっていく。リスクや危険はすべておれたちのものだ。船や備品のリスク、弟たちのリスクもだ。弟たちは悲惨の檻《おり》に閉じこめられて育ち、おれたちと同じようにくたばっていく！　みんながいつもこういう理屈を考えていることはわかっている。おれも何度もそうしてきた。しまいには、すべてが頭のなかでごちゃごちゃになる……魚たちが出口のない網のなかでぐるぐる回るようにだ……。それでおれたちは諦める。この状況は強引に破ってやらないといけない！　奴らは脅してくるだろう！　怖がらせてくるだろう！　だが、誰が怖がるって？　怖がるのは一番の腰抜けだけだ！　奴らを怖がってはいけない。誰かが独立して働きはじめたら、他の者も勇気づけられて後に続くだろう。そして、おれたちにありがとうと言うだろう！

「哲学者」ントーニの誕生です。

ことわざの流用

にっちもさっちもいかない自分たちの思考自体が、網のなかの魚に譬えられています。この網は仲買人たちの仕掛けている網だと言ってもいいし、より一般的には資本主義によって仕掛けられる網だと言ってもいいでしょう。そのなかで考え続けるかぎりは、妙案など浮かぶはずがない。水揚げを仲買人に売るというシステムにとどまるかぎりは、考えはぐるぐると回り、ごちゃごちゃになるだけです。

ということは、魚とはこのばあい、頭のなかでごちゃごちゃになる考えだけではなく、自分たち自身でもあると言うべきでしょう。自分たち漁師こそが、仲買人の網に搦《から》め捕られる魚だというわけです。

「この状況」という網から脱《ぬ》け出すには、それを「強引に破ってやらないといけない」。つまり、仲買人に魚を買い叩かせるのをやめ、自分たちでアンチョビを作って売るということです。

ントーニは、仲買人との軋轢を通じて、自分たちの置かれた立場をよくよく考えるようになる。そのときにこの、ふだん自分たちが何の気なしに使っている、何の変哲もない譬えに思い至る。

「魚／獲る者」が「女／男」に重ねられていた譬えを、獲られる魚を自分たちに、獲る者を仲買人に重ねることで流用してやる、というわけです。そこで、資本家による無産者の搾取という、世界の新たなイメージが目の前にパッと開ける。女に見えていた網のなかの魚が自分たちに見えてくる衝撃、とでも言えばいいでしょうか。

ついでに、「海の魚は、それを食う者に宛てられている」ということわざの示す諦念も破砕されます。「おれたちの人生はどうせ仲買人に食いものにされて終わるものと決まっているんだ」という諦めの網は強引に破られ、運命を離れた魚が自営へと自由に泳ぎ出していく。その試みは早々に失敗するとはいえ、ともかくも脱出は果たされる。

その漁村には、できあいの言葉がありませんでした。「無産者」「資本家」「搾取」「生産手段」「剰余価値」「下部構造」「上部構造」「階級闘争」といった、整序済みの便利な概念はどこにも見あたらなかった。だから当然、ントーニがそれらを活用することもありませんでした。

しかし、そのたぐいの語彙がないからといって、苛酷な現実自体が存在しないわけではない。その現実を前にして、ントーニは抵抗します。そして、その抵抗の過程で、マルクス主義のことなどまったく知らぬままに経済の冷酷な構造に思い至り、そして、ふと魚の譬えを拾いあげた。単に、その譬えがそこに、誰でも拾えるものとして落ちていたからです。

その譬えが自分たちの窮状を示すものとして使われたとたん、世界は闘争の舞台として見えてくる。目の前に拡がっているのは、いままでと同じ浜辺なのにです。「男が女を釣りあげる」という何の変哲もない含意はどこかに消え去り、この冗談はいまや、「人が食いものにされている」という現実を見抜く道具となる。ントーニは「魚」を概念へと仕立てあげることで、世界の支配的な認識に揺さぶりをかける。ントーニは哲学をしているわけです。

抵抗は成否によっては計られない

ところで、くどいようですが、抵抗は成否によっては計られません。

ントーニの抵抗は魚の譬えによってヴィジョンを与えられ、そのヴィジョンが世界の新たな認識を組織します。ントーニという魚は、いわば仲買人の網から逃れるべく自分でアンチョビを作り、仲買人を通さずに売ることを企てる。

しかし、もろもろの成り行きによって、結局それは失敗します。最後には、彼はみじめにも元の境遇へと戻っていくことになる。いや、戻っていく先は当初よりもさらにひどい境遇のようです。

では、抵抗は無駄だったのでしょうか?

もちろん、戦略について語るのであれば、この抵抗は明白な無駄だったと言わなければならないでしょう。結局、何もうまくいかなかったどころか、生活はさらに困窮を極めたのですから。

しかし、抵抗は、無駄か無駄でないかで評価すべきではない。人は単に抵抗する、それだけのことです。それは、仲買人の天秤を投げ捨てるという形を取ることもある。あるいはまた、抵抗は「概念を云々することで世界の認識を更新する」という形を取ることもあって、そのときは「哲学」と呼ばれるというにすぎない。

フーコーと『揺れる大地』

ところで、抵抗には成否を超えた意味があるということを考えるとき、私がつねに念頭に置いているのは、狭義の哲学者であるミシェル・フーコー（一九二六—八四年）のことです。ちょっと余談になりますが、たまたま『揺れる大地』ともごくわずかに関係がありますし、少し説明してみたいと思います。

ここで取りあげたいのは、一九七八—七九年に展開された「イラン革命」に際して、フーコーが革命側に立って論陣を張ったという、あまり知られていない奇妙な事実です。

彼はイランにも行って、ルポルタージュを書くジャーナリストのような活動もしました。より正確に言えば、彼はじつは革命勢力のなかでも反主流的な穏健派に共鳴していたのですが、遠目に見るとホメイニーを擁護しているようにも見え、そのことでずいぶん非難されました。近代化から頑迷な宗教へと復古することをどうやれば擁護できるのか、というわけです。

実際には、その近代化というのはパフラヴィー朝の利益独占の道具にすぎなかった。そんなものが何の留保もなしに擁護できるわけもなかったのは事実です。とはいえ、その近代化に反対するイラン革命はどうしても時代錯誤的な宗教への回帰というように見え、なぜフーコーはそんなものを擁護してしまったのかと首をかしげる人はいまもいますし、当時もいました。

フーコーのこの一連のルポルタージュの仕事が「軍は大地が揺れる時に」と題された記事で始まっているのは示唆的です。その記事はもともとイタリアの新聞『コッリエーレ・デッラ・セーラ』に掲載されるべく書かれたものです。この「大地が揺れる」というのは、実際にそのときイランで大地震が起こったことを直接は参照していますが、明らかに、イタリアでは誰もが知っている古典的な左翼映画に目配せする表現でした。そう、すでに触れたとおり、『揺れる大地』の原題は『大地が揺れる』です。

イラン革命が進行するにつれ、ホメイニー一派が薔薇色《ばらいろ》の未来を運んで来てくれるわけではないということが明瞭になってくると、フーコーへの風当たりはどんどん強まっていきます。実際にはフーコー自身はホメイニー万歳などとは言っていないし、結局はホメイニーに排除されることになる穏健派のほうに肩入れしていたのですが、そんな細かな指摘には誰も耳を貸さなかった。

蜂起は無駄なのか?

その革命末期に、一連の流れをふまえてフーコーが書いた「蜂起は無駄なのか?」というテクストがあります。蜂起するというのは無益なことなのか? 全体を参照すべきテクストではあるのですが、ここでは、私たちの議論に直接関わる一節だけを見ておきましょう。

[……]「蜂起は無駄だ、何をやったところで同じことだ」などと言う者に私は賛成しない。権力を前にして自分の生を危険にさらす者に対して、こちらに従えなどと言うことはできない。反抗するのは理のあることなのか理のないことなのか? この問いに答えは出さずにおこう。人は蜂起する。これは一つの事実だ。そのことによってこそ、主体性(偉人のではなく、誰でもいい人間の主体性)が歴史に導入され、歴史に息吹をもたらす。非行者は、濫用《らんよう》される懲罰に抗して自分の命を賭ける。狂人は、

監禁され権利を剝奪されて、くたびれはててしまう。民衆は、自分たちを抑圧する体制を拒否する。そんなことをしても、非行者は無罪にはならないし、狂人は治癒されないし、民衆は約束された明日を保証されはしない。そもそも誰にも、彼らと団結する義務があるわけではない。混乱したこれらの声が、他の声よりうまく歌っていると か、真なるものの深奥を口にしているなどと見なす必要はない。そうした声に耳を傾け、その言わんとするところをわかろうとするということに意味があるには、そうした声が存在し、これを黙らせようと執念を燃やすあらゆるものがあるというだけで充分だ。

要するに、「ファイト！　闘う君の唄を／闘わない奴等が笑うだろう」（中島みゆき「ファイト！」）ということです。ちなみに、奇《く》しくも「ファイト！」も闘う魚の歌です。「冷たい水の中を／ふるえながらのぼってゆけ」。

反抗したところで、漁師たちも仲買人の手から最終的に逃れられるわけではない。下手をすると、前よりもさらにひどい境遇が待っているかもしれない。

にもかかわらず、「人は蜂起する。これは一つの事実だ。［……］混乱したこれらの声が、他の声よりうまく歌っているとか、真なるものの深奥を口にしているなどと見なす必要はない」。

ことわざをもとにした漁師の冗談を材料としてかろうじて生み出されていくントーニの概念の歌は、抵抗である以上、それだけですでに意味がある。正当性や戦略的な成否などは、抵抗にあたってまず問うべきことではありません。

『スパルタカス』

次に、キューブリック監督の『スパルタカス』を取りあげてみましょう。

『揺れる大地』はフィクションでしたが、現実に取材し、シチーリアの住民に演技させた半ドキュメンタリー的なものでした。『スパルタカス』のほうもフィクションですが、こちらは史実に取材した、三時間を超える長大な劇映画です。

古代ローマ時代には、何回かの奴隷叛乱が起こっています。共和制期の大規模なものは「奴隷戦争」と名づけられていて、「第一次奴隷戦争」（紀元前一三五―一三二年）、「第二次奴隷戦争」（紀元前一〇四―一〇〇年）、「第三次奴隷戦争」（紀元前七三―七一年）となっています。

このうち最大のものが「第三次」です。その叛乱が鎮圧されたことによって、古代ローマではその後、大きな奴隷叛乱は起こらなかったといいます。その第三次奴隷戦争の首領の一人がスパルタクスという人物です。

この「スパルタクス（Spartacus）」をそのまま英語読みすれば、日本語で「スパータカス」と表記できるような音になります。これが、日本語で「スパルタカス」として知られる、カーク・ダグラス演ずる映画の主人公です。

この映画で、ダグラスは制作総指揮を執ってもいます。なお、これ以降、『スパルタカス』はキューブリックによってというよりはダグラスによって作りあげられた作品であるという前提に立って話を進めます。

奴隷剣闘士だったスパルタカスがもろもろの経緯から奴隷叛乱を組織することになり、一時はローマ共和国を圧倒するに至るが、最終的には半島の南東部に追い詰められて死に、叛乱は終わる――この大枠は、伝わっている史実どおりです。

しかし、いろいろと違うところもあります。ここでは異同を細かく説明することはしませんが、とにかく、劇映画がドラマティックに成立するために、史料に残されていない細部が躊躇《ちゅうちょ》なく追加されています。さまざまな人物配置がなされたり、さらには主人公の死に場所が変えられたりといったことがおこなわれている。

そもそも、原作にあたるハワード・ファストの長篇小説『スパルタクス』（一九五一年）においても架空の登場人物が何人も現れ、自由に行動しています。最も目立つのはスパルタクスの伴侶となるヴァリニアと、最後に彼女を救うことになるグラッカスでしょう。その小説をもとにして、脚本家ドルトン・トランボがさらに自由に物語を編みなおしました。ちなみに、ファスト、トランボともに、第二次世界大戦後のアメリカで吹き荒れた反共主義によって多大な被害を受けたことでよく知られている人物です。この小説の成立、この映画の成立はそれぞれ、反共主義に抗する明確なメッセージとなってもいます。しかし、ここでその件に深入りすることは控えておきます。

話を戻します。この映画には、スパルタカス（スパルタクス）をはじめ、実在した人物も多く登場します。たとえば、後述するクラサス（Crassus）という人物は、実在した政治家マルクス・リキニウス・クラッススに相当します。しかし、彼らの人物造形や振る舞いもまた、史実をなぞっている保証はどこにもありません。

『スパルタカス』のあらすじ

非常に有名な作品なので、もしかすると無用かもしれませんが、念のため映画のあらすじを記せば次のとおりです。

リビアで奴隷となっていたスパルタカスという反抗的な男が、視察に来ていた剣闘士養成所の所長に引き抜かれ、他の多数の奴隷とともに養成所で訓練されることになります。そこでヴァリニアという女奴隷に出会い、互いに好感情を抱く。

しばらくして、その養成所をクラサスというローマの貴族が訪問し、余興で殺しあいをやるよう所長に依頼します。また、クラサスはヴァリニアを気に入り、買い取ります。スパルタカスはドラバという仲間と闘わされ、絶体絶命となります。ところが、勝者となるはずのドラバはその瞬間、貴族たちに刃《やいば》を向けて反抗し、すぐに殺されてしまう。

スパルタカスは叛乱を起こし、剣闘士たちが同調します。また、それ以外の奴隷たちも叛乱軍に集まってくる。クラサスのもとから逃亡していたヴァリニアも合流します。叛乱する奴隷の集団は大きくなり、ローマ軍を急襲することにも成功します。そして、半島南端の港から船でおのおのの出身地に向けて脱出しようと画策します。

しかし、スパルタカスたちはしだいにローマ軍に追い詰められ、最後は惨敗を喫する。そして、スパルタカスは最後まで残った数千人の仲間たちとともにローマ市外で磔《はりつけ》にされてしまいます。

ヴァリニアは、スパルタカスとのあいだにできた赤ん坊もろともクラサスに連れ去られていましたが、クラサスに敵対するグラッカスの手配で母子は自由人となり、ローマを脱出します。その脱出に際し、ヴァリニアは街道沿いで磔にされている夫に近づき、息子が解放されたことをかろうじて伝える。これで終わりです。

これも『揺れる大地』に劣らず救いのない物語であり、その救いのなさが主人公の人間的な偉大さを照らし出すという点ではやはり同様に悲劇的と言えます。

なお、スパルタカスの妻子が生き延びるというのは、一見すると救済に思え、悲劇の構造としては画竜点睛《てんせい》を欠くものとも見えるかもしれません。しかし、磔刑《たっけい》にされて緩慢に訪れる死を待ちながら明晰《めいせき》な意識で妻子の脱出を見送るというのは、救済であるどころか、常軌を逸した責め苦かもしれません。

この作品を観終わった後に覚えるだろう複雑な感情は、もしかすると心の浄化以上の何かかもしれません。胸糞《むなくそ》の悪さによって、逆説的にもさらに崇高さを強化された感情です。

インテリ奴隷アントナイナス

さて、この映画の「トニー」について触れるときが来ました。アントナイナスです。Antoninusなので、ラテン語読みなら「アントニヌス」となります。これは「アントニウス（Antonius）」の異形です。

彼は歴史上、存在が確認できない人物です。ファストの原作にも登場しません。ヴァリニアも架空の人物ですが、彼女はファストによって創造されています。それに対して、アントナイナスは脚本家トランボのでっちあげた純然たる架空の存在です。

ダグラスの自伝『くず屋の息子』（一九八八年）によれば、俳優トニー・カーティスが出演を熱望したことを承《う》けて、ダグラスが急遽《きゅうきょ》トランボにでっちあげさせた役のようです。

おそらくは、この「トニー」から「アントナイナス」という名が案出されたのでしょう。

アントナイナスは奴隷です。詩の朗読を仕事とする、読み書きのできるインテリ奴隷です。クラサスに所有され、そばに置かれて使われます。作中では、クラサスが彼を性愛の対象として搾取する目論見《もくろみ》ももっていることが暗示されています。しかし、アントナイナスはクラサスが少し目を離したすきに逃亡する。その後、すでに蜂起していたスパルタカスたちと合流します。

シキリア出身

ところで、この映画にはじめて登場するとき、アントナイナスの出自が明らかになっています。その出自は私たちにとっては驚くべきものです。なんと、アントナイナスはシキリア（シチーリア）出身者なのです。そもそも、彼はシキリアの総督からクラサスに寄贈された奴隷たちの一人でもありました。

ちなみに、この細部はトランボによる脚本の最終ヴァージョンでは確認できません。トランボの脚本には実際の制作段階で多数の改変がさらに加えられているので、このシキリア出身という細部はダグラスによる設定と推測するのが自然でしょう。

なお、主要な奴隷の出身地は無意味に設定されたわけではないことが知られています。一番有名なのはヴァリニアの事例でしょう。当初はゲルマン人という設定でドイツ人女優がキャストされていましたが、その女優は撮影序盤で現場を去り、最終的にはブリタニア出身という設定でイギリス人女優ジーン・シモンズが起用されました。

アントナイナスの出身地に話を戻しましょう。はっきりと証明することはもちろんできませんが、これは、『揺れる大地』を観ていたであろう制作総指揮者ダグラスが俳優トニー・カーティスの名前を活《い》かしつつ仕掛けた遊びなのかもしれません。

つまり、このシキリア人トニーは後述のとおり「哲学」をして果てるけれども、二千年の時を経てシチーリアの漁村にほぼ同じ名前で生まれ変わり、また「哲学」をする。『スパルタカス』は『揺れる大地』の前日譚《たん》のようなものとして読み解かれることもありうる、ということです。

もちろん、アントナイナスがシキリア出身者だということの設定はまったくの偶然によるものかもしれません。確実なことは何も言えませんが、この細部がダグラスからヴィスコンティに捧《ささ》げられた小さな合図、かすかな讃辞《さんじ》かもしれないという華奢《きゃしゃ》な仮説にはそれなりの魅力があります。

さて、アントナイナスは詩を読むことしかできません。あとはジャグリングと手品しかできない。スパルタカスにはじめて会ったとき、自分の特技をそのように説明すると、「それならローマ人たちを消してもらおうか」と軽くからかわれます。つまり、戦闘員としては使いものにならないということです。しかし、彼の詩の朗読や手品が人々を慰撫《いぶ》する役に立つことがわかってくる。スパルタカスは彼をそばに置き、文書を読む役として使います。

「私がスパルタカスだ」

さて、映画は終盤に入ります。スパルタカスたちは戦闘に惨敗してしまう。叛乱奴隷たちを追い詰めたクラサスは、誰が首謀者スパルタカスであるかを明らかにすれば他の者たち全員の命を助けて元の奴隷身分に戻してやる、さもなければ全員を磔刑にする、と伝えます。

スパルタカスは、自分が名乗り出れば全員の命が助かるということで、意を決して立ち上がろうとする。すると、それと同時に、すぐ横にいたアントナイナスが立ち上がり、「私がスパルタカスだ」と言います。それを合図にしたかのように、まわりにいた仲間も次々に立ち上がり、「私がスパルタカスだ」「私がスパルタカスだ」と言いはじめる……。

後に、クラサスはアントナイナスを叛乱奴隷たちのなかから見分け、その近くにいたスパルタカスを本人と見抜きます。そして、二人に剣闘をさせ、勝者を磔にすると伝える。スパルタカスはアントナイナスをその恥辱から守るために殺し、涙を流します。アントナイナスの出番はこれで終わりです。

ダグラスの思いつき

さて、「私がスパルタカスだ」のシーンはおそらく、この映画で最もよく知られているシーンでしょう。記憶と感情に訴える、強烈なシーンです。もちろん、このシーンは完全なフィクションです。ファストの小説にも存在しません。トランボの脚本の最終ヴァージョンにも同じ形では存在しません。

この件に関しては、制作総指揮を執ったダグラスの述懐『私がスパルタカスだ!』(二〇一二年)に言及があります。それによると、ダグラスはキューブリックに「指導者〔スパルタカス〕に対する奴隷軍の忠誠を劇的に示すためのなかなかいいアイディア」をメモして手渡しました。

ただし、より正確には、このアイディアはトランボの脚本の最終版以前のヴァージョンの一つに含まれており、それをダグラスが復活させたというのが本当のところのようです。ダグラスがキューブリックに手渡したメモの細部は映画の実際のシーンと異なっています。つまり、そこから撮影までにさらに手が加えられたということです。とはいえ、私たちが問題にしたい基本的なアイディアはすでにこのメモに登場しています。『私がスパルタカスだ!』を参照してみましょう。

戦闘は終わり、戦場近くの谷間ではすべての囚《とら》われの者〔負けた叛乱奴隷〕がつかまっている。その多くはすでに鎖につながれ、そのあたりに座り、次の行方を待っている。彼らはげっそりしている。ローマ軍兵士たち、馬上の将軍たち、囚人用の鎖を積んだ馬車がごったがえしている……。

離れた丘の上で、貴族クラサスが騎乗している。彼は囚われの者たちを見下ろしている……。横には部下の将軍が一人いる。クラサスの合図でその将軍は騎乗し、何人かの奴隷を引き連れて坂を下りて行く。

将軍が、スパルタカスの身体を生死にかかわらず示した者は誰であれ自由になるぞと告げる。囚われの者たちに突然の沈黙が訪れる。スパルタカスが立ち上がる……。

突然、アントナイナスがすっくと立ち上がり、腕を振って「私がスパルタカスだ！」と言う。ユダヤ人デイヴィド［叛乱奴隷の一人］がそれに続く。すぐに何百人もの奴隷の誰もがすっくと立ち上がり、幸福な調子で「私がスパルタカスだ！」と叫ぶ。

クラサスは、死を宣された人々の群れによって自分の勝利が嘲弄されるところを独りで眺めている。彼は馬の向きを変えて立ち去るが、耳には、狂喜した奴隷たちが声を合わせて叫ぶ「スパルタカス……スパルタカス……スパルタカス！」という声のクレッシェンドが届いている……。

シキリア人トニーの「哲学」の誕生です。

アントナイナスの機知

さて、このアントナイナスの機知とはどのようなものでしょうか?

もちろん、嘘をつくことでスパルタカスの身代わりになる、という意図は即座に明らかでしょう。非力な詩人なりの最後の貢献だというわけです。「指導者に対する忠誠」というダグラスの説明が完全に間違っているわけでもありません。

しかし、このインテリ奴隷の機知はそのような意図によって汲《く》み尽くされてしまうわけでもないでしょう。

あのシーンを目の当たりにして私たちが茫然《ぼうぜん》とするのは、アントナイナスの並外れた勇気もさることながら、彼に続いて仲間たちが、映画のなかでの有名・無名を問わず、瞬時にアントナイナスの裏の意図を理解し、次々と立ち上がっていく、その力強い連帯の様子に圧倒されるからではないでしょうか?

アントナイナスの発言と行為は、あるいは端的に発話という行為は、その連帯をあらかじめ想定して含みこみ、提示しえていました。そうでなければ、他の仲間たちはこの発話行為のもつありうべき意味をそこまで迅速に理解することはなかったはずです。

つまり、「私がスパルタカスだ」は、「私がスパルタカスとして代わりに死ぬ」ということだけではなく、それとは別の、裏のメッセージも発していたということです。

その裏のメッセージは、くどく説明するならおおよそ次のようになるでしょう。これはもちろん私の勝手な想像ですが、それほど的外れでもないのではないかと思います。


おまえたちは首謀者スパルタカスを特定したいのだろうが、そうはいかない。おまえたちにはスパルタカスを絶対に特定させない。スパルタカスではない自分が、にもかかわらずスパルタカスなのだ、と私は非力ながらも言う。それは一見、私をスパルタカスとして特定させる、ということに思えるかもしれない。なるほど、まったくそうではないというわけでもない。だが、それは同時に、誰もがスパルタカスたりうるということでもある。事実、ある意味では、誰もがスパルタカスである。スパルタカスの身代わりとなる以前に、誰もがすでにスパルタカスだ。ただ一人いる本物のスパルタカスだけがこの叛乱の主体だというわけではない。首謀者とされる一人の者にすべての責任を担わせるという、おまえたちの古くさいモデル自体が間違っている。一人が叛乱を起こし、他の者たちがそれに、それこそ奴隷よろしく従った、というのではない。おまえの目の前にいる私たちをよく見てみろ。なるほど、スパルタカスは全体をまとめた大人物ではあり、私は自分の命と引き換えに彼を守りたいほどだ。だが、同時に忘れてはならないのは、私たちは自由に集団をなし、一致団結して叛乱してきたということだ。だからこそ、いま、おまえたちはスパルタカスを見分けることができていないではないか。誰もが叛乱の首謀者であり、だとすれば誰もが、おまえたちの言うところのスパルタカスとして首をあげられてしかるべきだ。おまえたちの好きにはさせない。私たちはもう奴隷ではない。自由を、自由に選ぶのだ。私は本当にスパルタカスなのだ。

この裏のメッセージが、クラサスにというより、むしろ仲間たちに即座に伝わった。だからこそ、たちまち「私がスパルタカスだ」の連鎖が起こった。奇妙にも、それは鬨《とき》の声のように響きます。敗残者たちの鬨の声というのは矛盾に充ちていますが、彼らの雄叫《おたけ》びは実際、圧倒的な勝利の雰囲気を帯びています。

私には、「私がスパルタカスだ」の鬨の声は、スパルタカスへの忠誠を意味するものとはまったく聞こえません。むしろ、誰もが「私もまた本当に叛乱の首謀者だ」と言いうるという、特異にして新奇な認識を共有するものと聞こえます。この認識こそが、叛乱奴隷たちをいわば即座に自由にしていると言ってもいいでしょう。

逆説的なことですが、あのシーンほど、奴隷たちの自由が剝《む》き出しの形で表明されているシーンもない。その意味で、「私がスパルタカスだ」は、世界の認識を更新する概念となっている。あるいはより正確には、「私がスパルタカスだ」の発話行為によって、「スパルタカス」は叛乱首謀者の概念を更新していると言ってもいいでしょう。

傘連判状が発明される瞬間

少し穿《うが》った言いかたになりますが、このアントナイナスの概念更新は、たとえばですが、傘連判状が発明される瞬間を映画化したものと見なしてもいいかもしれません。

ご存じのとおり、傘連判状は日本史でも世界史でも散見されるものです。序列を設けずに賛同者の署名を並べる発明です。近世日本の一揆《いっき》で用いられたことがよく知られています。

たしかに、関係者の名は並んでいるけれども、円く並べてしまえば始まりも終わりも存在しなくなる以上、誰が主唱者なのかわからなくなる。定義上、文字どおり「筆頭」という存在を根本から、最もスマートに抹消してしまう工夫だと言えます。

アントナイナスの起立と絶叫は、叛乱奴隷の名すべてをスパルタカスに変えてしまう可能性を示し、そのことによって自分たちを平等に、いわば円状に配置するという構えを瞬時に成立させました。あとは、参加者のすべてが「私がスパルタカスだ」と叫び、理念上の傘連判状に署名していくだけだ……。

最後に繰り返しておきますが、彼らの自由が束の間のもの、ほとんど観念にとどまるものだということは言うまでもありません。結局、彼らはそのことによって全員が叛乱奴隷のまま死を運命づけられてしまうし、その怖ろしい運命からは誰も逃れられずに終わる。つまり、この抵抗は何の役にも立たなかった。

しかし、アントナイナスのこの抵抗の意味は、叛乱の成否によって計り知られることはありません。「人は蜂起する。これは一つの事実だ」。

第三章　主食

萱野茂《かやのしげる》

前章では名作映画から哲学的なひらめきを二つ取りあげて説明してみましたが、「海の魚」「私がスパルタカスだ」といった表現を哲学的概念と呼ぶのはためらわれるという人も多いかもしれません。

これらは概念というより、譬えと呼ぶにふさわしいものなのではないかと考える人もいるでしょう。また、フィクションのなかでの登場人物の言行を哲学呼ばわりすることに気が引けるという人もいるでしょう。

私としては、そんなものは単なる慣れの問題だと言いたいところです。

最終的には、概念への固執によって認識を更新する抵抗行為としての哲学を、どのような場所にであれ、どんな形のものであれ見て取れるようになるのが好ましい。そもそも本書はそのような感覚を培う訓練の場として構想されているのだから、最初は少しくらい違和感があっても、申しわけないけれども我慢して慣れていってほしい……。

このように突き放したいのはやまやまですが、初手から飛ばしすぎたのも事実かもしれません。

本章では、もう少し概念らしい見かけをした概念を取りあげてみましょう。

今回登場する「哲学者」は、フィクションのためにでっちあげられた人物ではなく、れっきとした実在の人物です。とはいえ、この人もやはり狭義の「哲学者」ではありません。

萱野茂（一九二六―二〇〇六年）がその人です。

この人は、自民族の文化を在野で研究し続けたアイヌ文化研究者です。アイヌの文学や民俗が消滅の危機にあった時期に、きちんとした保存・継承をおこなうことをアイヌの一人として決意し、民具収集や口承文学収集を始めました。民具収集は「萱野茂二風谷《にぶたに》アイヌ資料館」として結実し、口承文学収集は多くの書き起こしとその日本語訳の出版として日の目を見ています。

完全な二言語使用者で、言語感覚に優れ、アイヌ語も日本語もいわゆる堪能以上の、いわば天才に属する人物でした。その能力を活かしてアイヌ語の辞書も編纂《へんさん》しています。

また、アイヌ民族の尊厳と自立を求めて社会・政治運動にも身を投じました。一九九四年には参議院議員になっています。ちなみに、国会議員になったアイヌの人物はいまのところ彼だけです。国会の委員会の席上でアイヌ語を用いた質問をしたのも萱野茂だけです。「アイヌ文化振興法」(一九九七年)の成立が、政治家としての彼の代表的な仕事と言えます。

このようにさまざまな活動で知られる萱野ですが、その活動の中核はやはりアイヌ文化の保存・継承という、純然たる文化的活動です。もちろんそれが、直接的に社会的かつ政治的な活動にもつながったわけです。

その文化的活動のなかでも私たちがおそらく最も容易に触れることができるのは、彼の遺《のこ》した多数のエッセイでしょう。私は、萱野茂は何よりも稀代《きだい》のエッセイストとして名を残すのではないかと思っています。

エッセイスト萱野茂の代表作を挙げれば、『アイヌの碑《いしぶみ》』（一九八〇年）が筆頭に来るのは異論のないところだと思います。それと『アイヌ歳時記』（二〇〇〇年）をあわせて読めば、だいたい萱野茂の見ているものが見えてくるでしょう。本章でまず扱うのもこの二冊です。

いずれも自伝的要素の強いエッセイです。自分の生い立ちや経験から出発して、当時のアイヌの生活のある意味での豊かさが、そして不可避な惨状が、次々と描かれていきます。

茂少年の経験

萱野が経験した、幼少時のとある出来事についてお話ししましょう。この挿話は『アイヌの碑』にも『アイヌ歳時記』にも出てきます。後でご紹介しますが、他の文献にもたびたび登場しています。とにかく、彼自身の精神形成にとって、また彼のアイヌという自己認識にとってきわめて重要な出来事であったことは明らかです。

それは、『アイヌの碑』では「罪人にされた父」という章で語られている出来事です。味わいをすべて抜き、無味乾燥な梗概だけを伝えれば、その出来事は次のとおりです。

萱野茂の生まれた家は貧しかった。その貧しい家の家長であるお父さんが生活の苦しさゆえにサケを密漁してくる。犯罪とされる行為だと知ってのうえでの振る舞いです。それは警察にもばれる。警官が家に来て、お父さんは逮捕され、しょっぴかれていくことになる。茂少年は、その逮捕の場面に遭遇して大泣きする。

萱野にそのまま語ってもらいましょう。

父は、鮭の密漁のかどで逮捕されたのです。毎夜毎夜獲ってきて、わたしたち兄弟や近所のお婆さんたちに、さらに神々にも食べさせていた鮭はそのころ獲ってはいけない魚でした。[……]

父は家を出て、巡査と一緒に平取のほうへ歩いて行きます。私は、

「行ってはだめーっ、行くんでないよー、お父っざあん、お父っざあん」

とそのあとを追いかけました。追いつくと父のでっかい手にすがりつき、

「だめだよ行ったら、おれたち何を食うのよー」

と泣きさけびました。追ってきたおとなたちが、わたしをつかまえて、

「すぐ帰って来るのだから泣くんでない」

といって、わたしより激しく泣いていました。［……］わたしは道路に寝ころんで泣き叫びましたが、母や近所の人に背負われて家に連れ戻されました。

家での祖母の嘆きは大変なものです。祖母に言わせると、警察は全く理由もなしに、自分の息子を連れて行った、いわば不当逮捕だというわけでした。

祖母がのちに、そのときの悲しみを思い出して、わたしに嘆いた言葉は次のようなものでした。

「シサムカラペ　チェプネワへ　クポホウッワ　カムイエパロイキ　コエトゥレンノポホウタラエレプ　アコパクハウェタアン　ウェンシサムウタラ　ウッヒアナッ　ソモアパッハウェタアン」

（和人が作った物　鮭であるまいし　わたしの息子がそれを獲って神々に食べさせそれと合わせて子供たちに食べさせたのに　それによって罰を与えられるとは何事だ悪い和人が獲った分には罰が当たらないとは　全く不可解な話だ）

時期によってということもあるし、許可された者かどうかということもありますが、水産資源は勝手に獲ってはいけないことになっています。漁業組合など、許可された人たちだけが、許可されている期間に獲ることを許されている。

アイヌの人々は、和人（現在の日本のマジョリティを占めている民族）が北海道に入りこんでくるまでは、自分たちなりの、自然に適合した慣習にしたがって狩猟・漁撈《ぎょろう》・採集をしていたわけです。より正確に言えば、彼らの生活は自然に適合していたというより、自分たちが当の自然の一部となっていることが意識されていた。そのため、自分たちが獲ることによって自然の資源が枯渇したり極端に減少したりすることはありえませんでした。

サケについても同様で、いつ、どのくらいなら獲ってもいいかということは伝承や習慣を通じて理解されており、それにしたがって獲るぶんには何の問題も生じません。しかも、引用文中にあるとおり、狩猟・漁撈・採集はアニミズム的な神格に対する捧げものにもなるので、獲らないという選択肢はもともとありません。

そこに後から和人が入植してきて、漁業権という名目で海岸や河川に勝手に線引きをしていきました。もちろん、アイヌの取りぶんなどありません。そして、禁漁期も設定される。そもそも、禁漁期が設定されなければならなくなったのは和人が獲りすぎたからです。そうすると、従来どおりの狩猟・漁撈・採集をするだけで違法ということになってしまう。萱野茂のお父さんは、いわば、この網に引っかかってしまったわけです。『おれの二風谷』（一九七五年）というエッセイ集には「昭和一〇年頃、秋になると鮭を獲りに、といっても正確には密漁……いやアイヌが自家用に獲る分には密漁ではないと、アイヌたちは考えていました」とあり、彼らが違法性を理解しながらも官憲を軽視していた様子が窺《うかが》えます。

同情について

さて、この出来事は、「和人による収奪はひどいね」「アイヌはかわいそうだね」「茂少年は、そしてお父さんやお祖母《ばあ》さんはつらかっただろうね」といった反応を、要するに深い同情や涙を誘う物語ではあります。迫害される民族や階級の物語には、こうした悲劇的な出来事はつきものでもある。

ただ、それだけで終わっては、被支配の立場にいる者たちは、意識的・無意識的を問わず支配者の側にいる者たちに対して意識の更新を促すことは、じつはできません。

　個人的には差別の意図がみじんもない善良な和人たちが「かわいそうだね」と言うとしても、それは「ああよかった、私は恵まれていて」、「ああよかった、私はその被害を受けないで」というような立場からの同情、つまりは高みからの憐憫《れんびん》に終わってしまうおそれが必ずあります。

　そして、そのような善人は悪気のなさをもち続け、自らが身を置く高みとは何なのかについて問うことはない。その善人は、歴史的・構造的な差別に、自らの属する民族が荷担し続けているということを意識するには至らない。

　なるほど、自分がアイヌでなかったり、身近にアイヌの人々がいなかったりするばあいに、アイヌの人々の切実感、切迫感を理解しにくいというのも、まったくわからないことではありません。「ふつうの人」が、「同情しないより、するだけましではないか」という気持ちになってもおかしくはない。マジョリティというのは、自らを利する構造が見えない側、構造を見ずに済んでいる側なので、このような差別の問題を前にしたときにマジョリティが善意の能天気顔をしてしまうのはいわば標準的な振る舞いとも言えます。

しかし、あらゆるマイノリティ問題同様、だからといってその状況がそのまま温存されていいわけではない。

女性というマイノリティ

アイヌでわかりにくければ、誰もが当事者であるか、もしくは当事者が身近にいる実例を取りあげましょう。「女性」です。女性と関わりのない人は一人もいないでしょう。そして、女性は最大のマイノリティの一つです。

最近、医学部入試での女性差別が複数の大学で相次いで発覚しました（二〇一八年）。仮にあなたが男性だとします。あなたはこの種のニュースを耳にして、「かわいそうだな。ひどいな。でも私が加害者なわけではないし……」と思うかもしれない。

それは間違ってはいない意見かもしれません。あなたが直接の加害者でないことはもちろん事実でしょうし、「差別的な制度が温存されていたほうが自分にとっては有利だ」と言わないだけ相当にましなのかもしれません。冷笑するより同情するほうが、同情しないより同情するほうが、ましにはちがいない……。

しかし、そんな同情には何の意味もありません。あなたが含まれている男性というマジョリティが構造上優遇されているということが露見したときに、いくらなんでも、女性というマイノリティに対して「かわいそうだな」はないでしょう！

感想は「落ちてしまった女性のぶんまで自分はがんばりたい」というようなパターンを取ることもありますが、その無神経さには怖気《おぞけ》をふるわずにはいられません。あなたが男性であるということ、女性ではないということが、あなたが望んだわけではないにせよ、知らぬ間にどこかで優遇のファクターとして機能している。そのような制度が維持されていることに、責任を感じなければならないとまでは言わずとも、いわく言いがたい恥辱のような感情を覚えないでいることがどうしてできるでしょうか？

自分も同じ枠に勝手に入れられてしまっているという恥辱、それによる利益を享受しているという恥辱……。同情や憐憫では、この枠を破壊することはできません。

少しだけ補足しますが、私たちは構造上、ある切り取りかたをすれば、何かの支配者側に必ずあり、また別の切り取りかたをすれば、何かの被支配者の側に必ずあります。私たちは構造上、社会的不正の加害者集団の一員であり、被害者集団の一員でもあります。

性別、年齢、出身地、階級、国籍、言語、文化的背景、人種など、人々を支配／被支配に二分する構造をしつらえるものは無数にあります。誰もがマジョリティであり、マイノリティです。「いかなる観点からもマイノリティではない人」など存在しません。

マジョリティとマイノリティ

なお、マジョリティとは、数の多さのことではありません。ある社会的なシステムが駆動しているときに、そのシステムから構造上、しばしば意識せずに利益を得るのがマジョリティです。支配的イデオロギーに乗っかっている「ふつうの人たち」、そのような構造が目に入らない存在がマジョリティです。

それに対して、何らかの「色のついた存在」がマイノリティです。たとえば、男性と女性はほぼ同数ですが、女性がマイノリティであることは明らかです。労働者と資本家であれば、労働者のほうが数は多いけれどもマイノリティです。

マジョリティ／マイノリティは無標／有標によっても説明できます。無標／有標というのは言語学用語ですが、要するに、あえて説明・形容が必要なものには標識が付され、そうでない自明の、当然の、「ふつう」のものには標識が付されないということです。manとwomanを比べるばあい、manは無標です。その証拠に、manは「男性」だけでなく「人間」をも指します。それに対して、womanは有標です。manでは示しきれない何かが追加されています。この「女性」は有標なので、「人間」一般を指すことはない。

自分の無標性を意識せずにいられる者たちが、だからといって中立を標榜《ひょうぼう》するのは、傲慢な無知蒙昧《もうまい》の証《あかし》です。私たちは、自分のどこかに必ず付されている何らかの標識を通じて、誰かが有標であることを認識したり想像したりすることができるはずだし、そうできるのでなければなりません。

感情移入の重要性

そのようなマジョリティ／マイノリティの支配／被支配について考えるときには、同情や憐《あわ》れみはときとして不充分であるのみならず、それだけでは有害になるばあいさえあります。「かわいそうな人たち」に同情したとして、自分が無意識的にせよ、悪気はないにせよ、拠《よ》って立つ地盤そのものが揺らぐわけではない。ひょっとすると、その地盤は「かわいそうな人たち」への憐憫によってさらに踏み固められることさえあります。

同情よりもはるかに大事なのは、理路を辿るなかで不意に訪れる感情移入でしょう。感情移入は、予期できないしかたで受け手を被害者に成り代わらせ、被害者の窮状のなかに不意に置き去りにし、被害者の孤立無援のありさまを、道理においても情緒においても、まさに身をもって受け取らせます。「なんたること、いま私は茂少年だ！　茂少年は私だ！」という、理屈を超えた感覚です。感情移入が起動した人は、「いままさに自分の父親を不条理にも警察に連行されている絶望感」に打ちのめされてしまう。それはけっして同情ではありません。

サケは主食

茂少年の挿話に戻りましょう。この出来事はたしかに読者に同情の涙を流させもしますが、それで終わってしまったのではマジョリティによる制度変革の意志に火をつけることはできません。それでは、マジョリティ側が世界の認識を更新することはありません。どれほど善意に充ちていようともです。

萱野はこの挿話を、単に情緒に働きかける物語では終わらせません。彼は丁寧に、道理をもって、感情移入の回路を起動させようと努めます。そこで「哲学」が生ずる。『アイヌ歳時記』から引用してみましょう。なお、最初のほうに、『アイヌの碑』でも引かれているお祖母さんの嘆きが出てきます。文言が微妙に異なっていますが、おおむね文意は同じです。

毎晩こっそり獲ってきて子どもたちに口止めしながら食べさせていたサケは、日本人が作った法律によって、獲ってはならない魚になっていたというわけであった。父が連れていかれたあとで、祖母てかってては、「シサムカラペヘ　チェプネワヘクポホポンノ　ウㇰワエッヒネ　カムイドラノ　ポホウタㇻ　エパロイキヒ　アコパㇰハウェ　シサㇺウタㇻ　ポロンノウッヒ　アナッネ　ソモアコイパッハウェー」と嘆きの言葉をもらしながら泣いていた。

この意味は、「和人（日本人）が作ったものがサケであるまいに、私の息子が少し獲ってきて、神々と子どもたちに食べさせたことで罰を受け、和人がたくさん獲ったことは罰せられないのかい」ということである。

私はこれまでパスポートを必要とする旅を二四回していて、行った先ではなるべくその国の先住民と称せられる人びとと交流をしてきたが、侵略によって主食を奪われた民族は聞いたことがない。

現在のサケとアイヌの関わりがどうなっているかを述べよう。北海道全土の漁協が獲っているサケの数は数千万匹という。その中でアイヌ民族が書類を出して獲らせてもらえる数といえば、登別アイヌが伝統的漁法であるラウォマプ（やな）で五匹獲れるのと、今一カ所は札幌アイヌがアシリチェプノミ（新しいサケを迎える祭り）のために獲れるのが数年前まで二〇匹であった。

この本をお読みになる日本人の読者の方々よ。あなたが悪いのではないが、あなたたちの先祖が犯した過ちが今もなお踏襲されているのはまぎれもない事実なのであり、それを正すも正さないもあなたたちの手にゆだねられていることを知ってほしい、と私は思っている。

もし、よその国から言葉も風習もまったく違う人たちがどさっと日本へ渡ってきて、おまえたち、今日から米を食うな、米食ったら逮捕するぞ、という法律を押しつけたらどうであろうか。これと同じことをアイヌに対して日本人はしたのである。

こう私はいい続け、書き続けているが、私が語り続けてきたことにまったく反応がないのはなぜだろうか。

私は、アイヌ民族の食文化継承のために必要なサケはどうぞご自由に、といってほしいだけで、そうむずかしい注文をしているわけではないはずだ。

私たちは、「主食」の何たるかをあまり意識せずに暮らしているのではないかと思います。もちろん、誰かに「主食は？」と聞かれれば、まあ和人文化なら典型的にはコメかなとか、パンも食べるかなとか、イタリアだとパスタもそうなのかなとか、すぐに考えられるでしょう。実際の生活では何かが主食の位置を事実上占めていて、毎日の食事の主軸というか土台というか、中心的な部分をなしています。その周辺におかず、つまり副食が配置されるわけです。

当たり前の、意識されない、空気のようになってしまっている慣習のなかに存在するのが、この主食なるものです。

主食論の説明

和人にとってコメが主食であるように、アイヌにとってはサケが主食です。『アイヌ歳時記』のさきほどの一節の少し前に、比較的まとまった説明があります。

アイヌたちが定住の場を決めたのは、サケの遡上が止まるところまでであり、主食として当てにしていたことがそのことからはっきりわかるはずだ。世界中でアイヌ民族だけが使っていたと思われるマレㇷ゚（回転銛）など、サケを獲る道具は約一五種類もあり、サケの食べ方は大ざっぱに数えて二〇種類。その中には生のまま食べる食べ方もあり、獲ってすぐでなければできない料理もある。

アイヌは自然の摂理にしたがって利息だけを食べて、その日その日の食べ物に不自由がないことを幸せとしていたのである。それなのに日本人が勝手に北海道へやってきて、手始めにアイヌ民族の主食を奪い、日本語がわからない、日本の文字も読めないアイヌに一方的にサケを獲ることを禁じてしまった。

アイヌには、他にもシカなど、重要な食材はいくつかあるのですが、それでもサケの特権的な地位、主食としての地位はゆるぎません。それを日常的に獲って食べてはいけないとされることの怖ろしさは、誰にでも認識・感受できるのではないかと思います。

世界じゅうで、社会集団や民族に対する迫害はさまざまにおこなわれてきましたし、いまでもおこなわれています。これこれの迫害が他の迫害と比べてより陰湿だ、というたぐいの比較には本質的な意味はありません。

しかし、アイヌに対する和人の迫害のなかには世界のどこにも類を見ないものがあるということははっきりと確認しておくべきでしょう。「侵略によって主食を奪われた民族は聞いたことがない」と萱野は言っています。

民族迫害は、人を人とも思わないしかた、つまりは人間扱いしないしかたでなされるのが常ですが、これは、極端に残酷な形でなされた迫害だと言えます。

もちろん、アイヌに対する和人の迫害はこれに尽きるものではありません。しかし、迫害全体の陰湿さのイメージを一挙に立ち上がらせるものとして、この「主食禁止」ほど鮮烈なものはないでしょう。

主食論は『アイヌの碑』には見られない

ちなみに、以下のとおり、『アイヌの碑』にも同様の議論はすでに確認できますが、「主食」という表現はまだ見られません。

アイヌ民族が死に絶えることなく、生き続けてこれた理由の一つに、食糧を充分手に入れることができたということがあります。食糧とは、鮭と鹿の肉です。だからアイヌは鮭を大切にし、自然の摂理に従って捕獲したのです。[……]

父は川を遡る時季に鮭を獲って逮捕されたわけですが、広い沙流川に幅がおとなの手を広げたぐらい、長さがおとな二人が手をつないで広げたぐらいの網を張り、それで鮭を家族が食べる分だけ毎日獲ったからといって、鮭が減ることはないということをアイヌ自身は知っていました。そのころ鮭が減ったのはシャモ［和人］の乱獲が原

因なのです。シャモは自分たちがつくり出した原因をアイヌに責任を押しつけたわけです。［……］

アイヌは自然の法則に従い、その知恵を上手に利用していました。アイヌは、鮭にかぎらず鹿でも熊でも何の動物でも、狩猟民族であったからこそ、それらを絶やさないような知恵と愛情をもっていたのです。

シャモが作った鮭の禁漁などという法律は、鮭をあてにして生活してきたアイヌにとっては「死ね」というような法律です。

「食糧とは、鮭と鹿の肉です」と、また「鮭をあてにして生活してきたアイヌ」云々とあります。これだけでも言わんとすることは明確ですが、『アイヌ歳時記』において、ここに「主食」という概念が当てられた、というわけです。

「主食」はふだんはそこまで意識されていないものではあるけれども、それが何のことかは誰でも、どんな民族でも、即座にわかる。そして、それが禁止されていると聞けば、事の重大さがおのずと認識される。

すでに引用したとおり、『アイヌ歳時記』では、萱野は「もし、よその国から言葉も風習もまったく違う人たちがどさっと日本へ渡ってきて、おまえたち、今日から米を食うな、米食ったら逮捕するぞ、という法律を押しつけたらどうであろうか」と、嚙んで含めるように説明しています。

「シエペ」

ちなみに、萱野に「哲学」させ、つまりは「主食」を概念化させたのは、アイヌとしての生活慣習だけではありません。そもそも、アイヌは明治中期にはすでに自家用のサケ漁さえも禁じられています。つまり、アイヌは自ら堂々と漁撈するという慣習を奪われて久しかった。萱野が活躍していた時期には、食習慣自体もかなりの変化を余儀なくされていたことでしょう。

にもかかわらず、萱野は「サケはアイヌにとっての主食だ」と断言できた。それは、彼が何よりもまずアイヌ語という言語文化の住人だからです。

やはり、『アイヌ歳時記』から引用します。

サケのことを北海道ではふつうは秋味《あきあじ》というが、アイヌはカムイチェプ（神の魚）、またはシエペ（シ＝本当に、エ＝食べる、ペ＝もの、しゃべるときはシペという）と呼んだ。［……］サケ［……］はアイヌがシエペ（本当の食べ物、主食）という言い方で大切にした食べ物であり、本当に当てにしてくらしていたのである。

つまり、サケはそもそも「主食」という名で呼ばれているということです。「サケ」とアイヌ語で言えば、それは「主食」と言ったのと文字どおり同じことだということです。このことは、日本語で「ごはん」がしばしばそれだけで米飯を指すということと並行的に考察することもできるでしょう。

サケを獲ることが禁じられるとは、アイヌの言語文化を参照すれば、まさに主食が、「ごはん」が禁じられるということ以外ではありえなかった。

少数民族との交流

いつごろ「主食」の哲学が明確化されたのか、断定的なことは私には言えません。私は萱野の書いたもののすべてを確認できたわけではありません。

すでに見たとおり、一九八〇年刊行の『アイヌの碑』には、材料は出尽くしていますが、「主食」という単語はまだ登場していません。しかし、二〇〇〇年刊行の『アイヌ歳時記』が「主食」の初出ではない。

たとえば、すでに小冊子『国会でチャランケ』(一九九三年)や、同時期の講演「アイヌの生活と文化について」(『アイヌ民族についての連続講座』所収、一九九三年)にも、同様の論旨が確認できます。『妻は借りもの』(一九九四年)の随所にも類似の内容が確認できます。

ここでは、「アイヌの生活と文化について」から、重複する内容を省いて引用しておきます。

「……」侵略者の大集団が一方的につくった法律で主食まで奪われたというのは、これは、北海道のアイヌはひどくやられている。世界中、私、歩いたわけではありませんけれども、よその国でこんな例は聞いたことありません。よそ、スウェーデンのサーミ族であれ、アラスカのイヌイット族であれ、それぞれの食べるものだけは奪われておりません。一〇〇％守られていないと言いながら、きっちとして、侵略した者とされた者との間に条約があります。北海道のアイヌと日本人の間に条約のかけらもありません。こんなにきれいに侵略されたというのは、世界に類例ないわけであります。

この発想は、彼がとくに一九八〇年代以降、カナダ、スウェーデン、ハワイ、ロシア極東などを訪問して世界の少数民族と交流してきたことによって徐々に醸成されたものなのでしょう。

『妻は借りもの』によると、一九八九年にハバロフスクで交流したナナイ族に、彼らはサケを一人あたり四〇キロまで獲ることが認められていると教えられています。また、同年にカナダで知りあった当地の先住民族も、サケは自由に獲れると語っていたとあります。

「今まで私が見てきた諸外国の例をいうと、アラスカのイヌイット族、カナダは五ヵ所《ママ》それぞれ違う種族、スウェーデンのサーミ族、ソビエトのナナイ族、オーストラリアのインドマーシュの人々。魚であれ獣であれ食べ物を捕る権利は保障されているのです」。八〇年代末にはすでに、アイヌに対する和人の非道が他の少数民族の状況との比較によっておのずと炙《あぶ》り出されていたということです。

ダム建設反対運動

そして、その経験と並行する重要な契機がもう一つあることも忘れることはできません。二風谷ダム建設反対運動です。

萱野自身が地権者の一人でもあった地域は、当然のことながらアイヌ文化継承にとっても重要な地域でしたが、そこにダムが建設されることになり、萱野たちはこれに抗して当初から全面的に闘いました。一九八七年には強制収用のプロセスが動きだし、以後、彼らは行政への収用差し止め要求を、そしてその棄却後には行政訴訟の提起をおこないます。

一九九七年に出された判決は原告にとって全面的に満足のいくものではありませんでしたが、アイヌが先住民族だと明示的に認められた初の判決として評価されてもいます。

その闘争の過程で、遅くとも一九八八年にはすでに主食の哲学が顔を出しています。参照しやすいのは、本多勝一『先住民族アイヌの現在』（一九九三年）に引かれている萱野の発言でしょう。

それは一九八八年二月に「北海道収用委員会」の審理の場でなされた発言です。これまでの引用と内容的な重複も多くなりますが、私たちの議論に必要な部分はなるべく残しつつ、『先住民族アイヌの現在』に収められている発言から少し長めに引用してみます（以下、原文の随所にあった強調は省いています）。

［……］アイヌは鮭のことをどのように呼んでいたかというと、シペと言っていました。この意味は、「シ」が「本当に」とか「全く」という意味。「エ」というのは「食べる」ということ。「ペ」は「もの」ということです。シエペが、しゃべるときはシペに聞こえるのであります。アイヌは鮭のことを「本当の食べ物＝主食」と呼んでいたのであります。アイヌは鮭を主食と考え、その捕り方にも自然の摂理に従い、資源が枯渇しないように努めていたものでした。

［……］そこへ、後から来た日本人が一方的につくった法律、字の読めないアイヌに

一言の断りもなしにつくった法律は、内水面資源保護なんとかかんとかというものでありました。そこでどのようなことになったかと言えば、主食として当てにしていた鮭をアイヌに捕るなということは、死んでしまえという法律に等しいものであったわけであります。

［父親逮捕の挿話が入りますが、すでに引用したものとおおむね同一内容なので省略します］

私はしみじみ思います。日本人て何てひどい民族であったのでしょうかと。先住者、アイヌ民族のことを全く考えてやろうともせずに、主食であるアキアジをも捕る権利を平気で奪ってしまったのであります。［……］

ここでずばり言わせてもらいますが、［……］有史以前からアイヌが持っていたアキアジの捕獲権をアイヌに返してほしいのであります。［……］

ここで外国の例を二、三申し上げますが、アメリカ合州《ママ》国アラスカのイニュイ民族（いわゆるエスキモー）の皆様は、先住民族の権利としてクジラでもアキアジでも、自分が食べる分は自由に捕っているのを見てきました。カナダの場合、カナダ＝インディアンの皆さんも、カナダ政府が先住民族の権利として食べる分は自由に捕らせ、捕っているのを見てきました。それからスヱーデンもそのとおりで、世界の多くの国々では先住民族の当然の権利として、狩猟は狩猟、漁労は漁労として認めているのであります。

確認できたかぎりでは、主食の哲学はここで最初期の明確な定式化を見たと言えます。このように、世界の少数民族との交流を通じて、またダム建設反対という具体的な闘争を通じて、自分たちの置かれている状況がおのずと浮き彫りになったというのは、おそらく間違いのないところでしょう。

感情移入の無理強い

とはいえやはり、「シエペ（シペ）」という単語自体を参照することなしに主食の哲学が立ち上がることはけっしてなかっただろうとも想像されます。しだいに明確に自覚されたアイヌの窮状に対して明確なヴィジョンを与えるために萱野が拾いあげたのは他ならぬ自分たちの言語であり、「シエペ（シペ）＝主食」を概念とすることによってはじめて世界が認識の緊張を獲得したというわけです。

一九九六年に刊行された『萱野茂のアイヌ語辞典』の「シペ【sipe < si-e-pe】」の項にある「サケ。／▽シ＝本当に　エ＝食べる　ペ＝物／＊アイヌはサケを主食としていたし、定住の場所はサケの来る所までと決まっていた」という説明も、この「哲学」のコンパクトな定式化として読むのが適切でしょう。

主食を軸として世界のイメージを一挙に立ち上げてやるというのは、れっきとした哲学的抵抗の身振りです。「世界は、私たちの側には主食の禁止された世界としてこのように認識されているのだが、同じ認識の視点を自分に対して提供されたとき、あなたたちにはいったい世界はどう見えるのか？」という問いを、「主食」という何の変哲もない言葉を概念として拾いあげ、その単語に一貫性をもたせることで一気に問うことができています。

ここでは、もはやマイノリティはマジョリティの同情を買わない。マイノリティは、マジョリティに対して自分たちへの感情移入を丁寧に無理強いし、感覚と認識において、主食禁止のイメージで彼らを慇懃無礼《いんぎんぶれい》に苛《さいな》むのです。

はたしてその抵抗は役に立つのか？　いつもながら、大して役には立ちません。萱野自身、『アイヌ歳時記』で「こう私はいい続け、書き続けているが、私が語り続けてきたことにまったく反応がない」と洩《も》らしているのは、すでに引用したとおりです。

主食論の継承

とはいえ、この「主食」という問題設定をきちんと継承しているアイヌの人々もいるようです。

最近も、二〇一九年八月末から九月はじめにかけて、当局への申請なしにサケを獲った人たちがいました。この件では、紋別アイヌ協会の代表者である畠山敏《はたけやまさとし》たちが二〇二〇年二月に書類送検の後、六月に不起訴処分になっています。

そもそも、先住民族が従来の慣習にしたがって漁をおこなうのに、後から入植した国家への申請が必要なのはおかしいという理由で、申請を意図的にしなかったということでしょう。

申請すれば、祭祀《さいし》に必要なごくごく少量を獲ることは許されもするわけですが、そのようにお伺いを立てること自体が原理上おかしいという議論です。お伺いを立てれば、先住権・自決権が侵害されたままの状況を追認することになってしまうわけです。萱野の立論の延長線上にそのまま位置づけられる活動だと思います。

二〇一九年に示威的におこなわれたのは祭祀目的の漁でしたが、さらに、これに続けて二〇二〇年八月には、祭祀目的にとどまらず生計を営むために漁をおこなうことを先住権として認めさせるための訴訟が、また別の団体によって起こされるに至っています。

この団体「ラポロアイヌネイション」（旧称・浦幌アイヌ協会）の刊行物（『サーモンピープル』二〇二一年）にも萱野の『アイヌ歳時記』からの引用が見られます。萱野も、生きていればこの運動を心強く思ったことでしょう。

しかし、このような活動もまた、訴訟の結果がいかに満足のいくものになるとしても、マジョリティの側からは単なる騒動として捉えられるのが関の山で、悲しいかな、実際にはおおかたの和人の目には留まりすらしないでしょう。哲学的でもあるこの抵抗は結局、「制度を変革しなければ」などという意識をマジョリティの側で大々的に醸成することはないかもしれません。

とはいえ、萱野の「主食」という「概念」は読者の世界認識に更新を強いることはできました。なるほど、それは無力な更新かもしれません。しかし、少なくとも、おのずと生じた抵抗に形を与えることはできた。そのことによって、マジョリティからマイノリティへの居心地の悪い感情移入の回路をまがりなりにもしつらえてやることができた、と言えるでしょう。

第四章　運命論への抵抗

『カンディード』と『スローターハウス5』

このあたりで、私たちの「哲学」と狭義の哲学とが交錯する例も見ておきましょう。

ただし、本章で見るのは、狭義の哲学に対する異議申し立てです。つまり、狭義の哲学的概念の廃棄です。

哲学というのは概念を「云々する」わけですが、使えそうなものを拾いあげて概念に仕立ててやってもいいし、ゼロから概念を作り出してもいい。それだけでなく、既存の概念にケチをつけ、踏み潰してやってもいい。世界の認識、世界の見えかたが更新されれば、概念を「云々する」やりかたはべつにどのようであってもかまいません。

本章で取りあげるのは二つの作品です。ヴォルテールの『カンディード』とカート・ヴォネガットの『スローターハウス5』です。

これらは第二章と同様にいずれもフィクションです。今度は映画ではなく、小説です。ただしいずれも、やはり現実と密接に関わるフィクションではあります。さらに言うと、現実の災厄に作者が同時代人として立ち会い、その個人的な経験が出発点となっています。ただし、それにもかかわらず、ノンフィクションや評論という形ではなく、空想的なフィクションという形が選ばれています。

両者とも、『揺れる大地』や『スパルタカス』に劣らず有名な作品であり、ここであえて紹介するまでもないのかもしれません。とくに、『カンディード』に関しては近年、とある理由からあらためて多くが語られもしました。

しかし、「もしかすると『揺れる大地』と『スパルタカス』のあいだに何らかの関係が想定できるかもしれない」という珍妙な仮説の夢想が第二章の隠し味になっていたように、第一のフィクションと第二のフィクションとを無理につなげてみせるという試みは、根深いところでの両者の「哲学」的な関わりを明らかにしてくれるかもしれません。

啓蒙《けいもう》思想家ヴォルテール

まずは、啓蒙思想家ヴォルテール（一六九四—一七七八年）の書いた『カンディード』（一七五九年）という小説についてお話しします。

啓蒙思想というのは、ヨーロッパで近世から近代への橋渡しをした、人間の自由と理性に重きを置く思想です。自由というのは、まずは王権や教権からの自由を指します。この思想は、王制から共和制ないし立憲君主制へという政体のシフトにあたって理論的基盤を提供しました。啓蒙思想家は、「市民社会の成立を理論面から準備した思想家」と位置づけられるのが一般的です。

フランス語圏で言えば、啓蒙思想家としてまず挙がるのは『人間不平等起源論』『社会契約論』『エミール』のジャン゠ジャック・ルソー（一七一二—七八年）かなと思いますが、権力分立で有名な『法の精神』のシャルル・ド・モンテスキュー（一六八九—一七五五年）、『百科全書』をまとめた一人であるドゥニ・ディドロ（一七一三—八四年）、『ソドム百二十日』『悪徳の栄え』『美徳の不幸』『閨房《けいぼう》哲学』といったエロ哲学小説で有名なマルキ・

ド・サド（一七四〇―一八一四年）などもおなじみでしょう。そして、もちろんヴォルテールは外せない。

ヴォルテールは、『哲学書簡』『哲学辞典』といったタイトルの著作があるということもあって、狭義の哲学者かなという印象もあると思いますが、才気をマルチに開花させたスター文筆家というあたりが実際のところです。芝居も書けば小説も書く。狭義の哲学を追究するというより、ちょっと言葉は悪いですが、それを論争的・批判的に普及させる俗流タレント思想家・評論家という側面が強い。ちなみに、十八世紀フランスではそのようなタイプの知識人がいみじくも「哲学者」と呼ばれていました。

では、彼がつまらない思想家、再読に値しない哲学者かというと、そんなことはありません。というか、ヴォルテールのばあい、平俗さはかえって持ち味にもなっています。重苦しい精妙な学説をわざと単純化して皮肉る勝手気ままさ、乱暴な清涼感、豪快なスピード感がヴォルテール節の特徴です。

『カンディード』

その持ち味が最も活かされているのは『哲学書簡』だと言う人も多いですが、私はやはり小説『カンディード』だと思います。

これは、何にも知らない純真無垢《むく》な青年カンディードが、波瀾《はらん》万丈の経験の末に人生の何たるかを身をもって知る、という、いわゆる教養小説です。教養小説というのは、自己形成を描く小説、つまり主人公の成長物語のことです。

主人公カンディードとその周辺の人物たちは、全員が、とんでもない災厄に次から次へと見舞われていきます。最初から最後まで出てくる主要人物はカンディードのほか、恋人キュネゴンド、狭義の哲学の先生であるパングロスです。また、途中から何人か追加されます。

圧倒的なスピード感で話は進んでいく。彼らは死にそうな目に何度も遭う。それでも、小説は続いていくわけで、読者は、彼らが途中で死ぬことはないんだろうな、死んだと思われてもたぶん生きているんだろうなという奇妙な安心感を抱きながらこの作品を読み進めることができます。さらに言えば、この小説は、「どうせ死なないのであれば、いっそのことどんどんひどい目に遭って読者を楽しませてくれ」というサディスティックな期待を読者の側に芽生えさせてしまうような、ちょっと意地悪な造りになっているとも言えます。

optimisme

さて、『カンディード』には副題が付いています。optimisme という名詞です。この単語はふつう、日本語でもそのまま「オプティミスム」と訳されもします。「オプティミズム／ペシミズム」というふうに対をなし、「楽観論／悲観論」などとも訳されます。ご存じのとおり、オプティミズムといえば、物事をいいほうに取るというようなニュアンスですし、ペシミズムといえばその逆です。

このような慣用的な意味あいは間違いではありません。現代の英語やフランス語でも同様のニュアンスがあります。ただし、『カンディード』における optimisme のニュアンスはそこから少しずれています。

optim- というのはラテン語 optimus に由来します。これは「最良の、最善の」ということです。英語であれば best におおむね相当します。それに「主義、特性」をおおむね

意味する -isme が付されています。というわけで、「最良主義、最善主義」とでもいうような意味あいになります。ちなみに、ラテン語 optimus の対義語は pessimus で、こちらは「最悪の、最低の」、つまり英語であれば worst をおおむね意味します。というわけで、pessimisme は「最悪主義、最低主義」ということになります。

この optimisme という単語が世界にはじめて登場したのは一七三七年だと言われています。『カンディード』発表が一七五九年ですから、執筆当時にはまだ新語だったと言っていいでしょう。この新語は、何かを指すためにでっちあげられたものです。

神義論《テオディイセ》

その「何か」の説明のためには、「神義論《テオディイセ》」と呼ばれる議論についてお話ししておかなければなりません。「弁神論」と訳されることもあります。ドイツの狭義の哲学者ゴットフリート・ヴィルヘルム・ライプニッツ（一六四六―一七一六年）には同名の著作（一七一〇年）があります。彼によって導入されたこの造語は、「世界に悪があるにもかかわらず神はやはり善である」ということを論証する議論を指します。

どういうことか、簡単に説明してみましょう。神は欠けるところなき善だというのが神学上の大前提です。その神が世界を創造した。にもかかわらず、この世界にはさまざまな悪が存在している。不快な害虫、防ぎようのない天災、堪えがたいほどの病苦。完璧な存在である神によって創造されたはずの世界に、なぜそのような有害無益なものがあるのだろうか？

もちろん、神の存在さえ前提としなければ「悪があろうがなかろうが、そのことに特段の原因・理由はない。その厄介事は残念ながら、ただそこにそのようにある」と考えればいいだけのことですが、神学上はそれではまずい。というわけで、悪の存在を前にして、神の義を弁論してやらなければならないことになります。その議論が「神義論」です。

神義論が展開されるには摂理の想定が不可欠です。摂理とはわかりやすく言えば神のおぼしめし、神意、神慮のことです。神がそれらの悪を創造したのは深い考えがあってのことだ。私たちは神ではないので、その考えがわからない。私たちには悪と見えるものも、どこかで何らかのしかたで善に奉仕しているにちがいない。あるいは、いずれ結果として善を生むにちがいない。悪はあるべくしてある。どうしてなのかは私たちにはわからないが、そうに決まっている。

このような考えかたにおいて前提されているのが「摂理」、おぼしめしです。窮極的には、世界の終わりと神の国の到来のためにすべては仕組まれているので、悪の存在理由は結局、そのときまではわからなくてもおかしくない。何かが悪に見えることがあったとしても、巨視的に見れば、結局は善の一部だ。

気宇壮大にして無責任な「あざなえる縄」、「塞翁が馬」ということです。世界の結末は、あるいは世界の全体は、神だけが知っている。

神義論がこの摂理を前提にして駆動させる理屈の最たるものが optimisme です。ライプニッツ以来の伝統を参照するばあい、日本語では「最善説」と訳される慣行があります。ちなみに、ライプニッツ本人はこの optimisme という単語を使っていません。ライプニッツの神義論を形容するにあたって、後世の評者がこの表現を発明しました。

充足理由律

ライプニッツの議論は一種の可能世界論になっています。この世界は、「こうであることもできるだろう」という無数の可能性のなかから、最も充足されている最善のものが最も存在理由のあるものとして選ばれて成立している、というのです。

要するに、最善とは、他の無数の物事の存在する可能性を最もうまく担保する、つまり最も整合性の高い可能世界を成立させうるものだということです。他の無数の物事との関わりなどというものは私たちには想像もつきませんが、神には当然、それはわかっている。この理屈を、ライプニッツは「充足理由律」と呼んでいます。最善説の原理は充足理由律だということです。

彼はこの充足理由律を、「物事には［……］それが存在しないよりもむしろ存在する理由がある」と表現しています。その理由なるものは私たちには結局のところ何なのかよくわからないのですが、ともかく、何かがあったら、それには神なりの理由があるということです。理由なく存在するものはない。存在する以上は、存在しないよりもむしろ存在すべき理由があるに決まっている、ということです。

ヴォルテールが「最善説」という用語で念頭に置いていたのはこのような論理立てです。

なお、ヴォルテールが具体的に参照したのは、イギリスの詩人アレグザンダー・ポープ

（一六八八―一七四四年）が思想詩『人間論』（一七三三―三四年）においておこなった再説だとも言われています。その最もよく知られている一節には「何であれ存在するものは正しい」とあります。

『カンディード』では、カンディードの哲学教師であるパングロスがこの「最善説」に心酔しています。パングロス先生は、ことあるごとに充足理由律をカンディードに吹きこみます。

パングロスによる最善説の参照

パングロスによる最善説の参照は小説のはじめから、すぐに出てきます。

物事は他のしかたでは存在しえないということは論証済みです［……］。というのも、すべては一つの目的のために作られている以上、必然的に、最善の目的のために存在しているからです。いいですか、鼻は眼鏡を掛けるために作られました。私たちに眼鏡があるのはそのためです。脚が何かを穿《は》くために設けられているのは明らかであり、そして私たちにはズボンがある。石は刻まれるため、城を造るために形作られたものです。閣下［カンディードの恋人になるキュネゴンドの父親にあたる男爵］が非常に美しい城をもっているのはそのためです。つまり、当地方で最も偉大な男爵のお住まいは最善でなければならないということです。豚は食べられるために作られている以上、私たちは一年じゅう豚を食べている。したがって、すべては善だと主張した者たちは莫迦《ばか》なことを言ったわけです。すべては最善の状態で存在していると言うべきでした。

最善説をわざと曲解して誇張した疑似論理、屁理屈《へりくつ》です。

あえて説明するまでもないでしょうが、たとえば脚はズボンのためにこれこれの形で存在するわけではなく、ズボンのほうが脚のこれこれの形に合わせて作られたにすぎません。しかし、あらゆるものに存在理由があるという最善説の強弁を受け容れるならば、脚がこれこれの形で存在するのも何かのためだろうと主張できてしまい、窮極的には、その「何か」がズボンであるという可能性も完全には否定できなくなってしまう。そのようにして、いつの間にか論理は滑稽な逆立ちを見せることになります。

より正確に言えば、神以外に諸事物の存在理由を知る者はない以上、じつは摂理がパングロスによって知られているというのもおかしな話です。パングロスは神ではない。もちろん、読者はそのことを百も承知であって、だからこそパングロス先生のまことしやかな屁理屈を作者の横で嘲笑することができるわけです。

ちなみに、ここに魚ならぬ豚の運命論が登場しているのも、ントーニの哲学を知っている私たちにとっては興味深いことかもしれません。

神義論をこき下ろす

さて、パングロスは自分たちがひどい目に遭っても、そのたびにカンディードに対してこの充足理由律を説きます。そうなったのは神のおぼしめしなのだ。それが最善なのだ。なるべくしてなったのだ。いかにひどかろうと、それがあるべき最高の世界なのだ。しかし、パングロスのこのような教説を、カンディードはしだいに信じなくなっていきます。

最後に、カンディードたちはボロボロになって、小さい地所にようやく居を定めます。そこでもまだパングロスは、こうなってよかったのだ、これまでのことはすべて最善だったのだと言いつのります。カンディードがそれに対して、「お言葉ですが［……］ぼくたちの庭を耕さなければいけません」という有名な返答をして、小説は終わります。

つまり、お笑い小説の形を借りながら、神義論やら充足理由律やらの莫迦さ加減を最初から最後までこき下ろしているというのが『カンディード』です。神のおぼしめしだか何だか知らないが、ご託はもう結構だというメッセージが小説の締めくくりになっています。

リスボン大震災

この珍妙な小説をヴォルテールが書いたのはなぜでしょうか？　もちろん、理由は一つではないでしょうが、最大の要因の一つが何であるかははっきりしています。

これも有名な話ですが、簡単に説明します。『カンディード』発表の四年前、一七五五年の十一月一日に、とんでもないことが起こります。リスボン大震災です。いまのところ、ヨーロッパでは有史以来最大の被害をもたらした震災で、ポルトガルのリスボンを中心に何万人もの死者を出しました。

十一月一日は万聖節といって、カトリックでは非常に重要な日です。リスボンはカトリックの敬虔《けいけん》な信者が集まる都市でした。よりにもよってそんな日に、そんなところで大変な災害が起こり、何万人もの死者が出た。なぜその日に？　なぜそこで？　なぜその規模の被害が？

そうでなければならない理由など、あるわけがありません。もちろん、都市構造の問題など、被害を増大させた要因を云々することもできますが、それは別の話です。

ところがそこに、最善説を押しつけてくる神義論がある。これも神のおぼしめしだ。私たちにはなぜなのかはわからないが、これもきっと起こるべくして起こったのだ……。

そうとでも考えなければ堪えられないという心理は想像できないこともありません。しかし、死者を含む、実際に被害を受けた人たちからすれば、そんな理屈は受け容れられるはずもない。

大震災以前のヴォルテール

じつを言うと、リスボン大震災よりも前には、ヴォルテールは最善説に対して比較的好意的な立場を取っています。

啓蒙思想家としては、神の存在を損なわないまま理性に優位を確保するには、理性と神を同一視する「理神論」という立場を取る以外に方法はなく、理神論に則《のっと》って神義論を展開するには明らかに最善説が最も無理のないものだったからです。

一七四七年の短篇「ザディーグ」では、智者である天使に次のように言わせています。

悪人は［……］地上に拡がるわずかな義人たちを試練に掛ける役に立っています。善の生まれない悪はない［……］。窮極の存在［神］［……］は、互いに似たところのありえない何百万もの世界を創造した。この甚大な多様性は、窮極の存在の甚大な力を示す一つの属性です。地上に相似の木の葉は二枚となく、限りなき天界に相似の天体は二つとない。自分の生まれたこの小さな原子［地球］の上でおまえが目にするものはすべて、万物を含みこんでいる者の不易の秩序にしたがって、あるべき場に、定まった時間に存在するものと決まっていたのです。命を落としたばかりのあの子どもは偶然に川に落ちたと、あの家が燃えているのもそれと同じ偶然によると人間たちは考えますが、偶然などありません。すべては試練、処罰、報奨、先見のいずれかです。

全能の神の存在を危険にさらさないためには、神と理性とを一分のズレもなく重ね、すべての悪をそのつど未来の善や全体の善へと回収しなければならなかったという理屈はわからなくもありません。さもなければ、啓蒙思想家は神の全能性を部分的にであれ毀損することを受け容れざるをえなくなります。たとえばの話、自らの創造した悪を前にして神が羞恥心を覚えてうなだれるような可能性をさえ想定しなければならなくなる。なるほど、理屈で言えばそうなります。

とはいえ、悪がたまたま存在するかもしれないというだけのことがなぜここまで怖いのか、意味のまったくない偶然ごときがなぜここまで嫌われるのか、否定的な出来事の理由や原因がなぜここまで執拗に追い求められるのか、正直に言って私には理解できないところがありはします。

一七四八年に発表された短篇「なるがままの世界」——「この世は成り行き任せ」と訳される慣行もある作品ですが、文字どおりに訳しておきます——の登場人物も、「すべてが善だというわけではないとしても、すべては及第点ではある」と言っています。

「ザディーグ」での説明ほど冷徹ではありませんが、いずれにせよ、悪に見えるものの存在理由、最終的な善に奉仕するための理由は、どんなものに対しても幾分は確認できそうです。とんでもない災いにもわずかではあれ、それが起こった理由があるのかもしれない。それはまずまず「及第点」なのかもしれない。

「リスボンの災厄に関する詩」

この中途半端な立場を撤回することをヴォルテールに無理やり迫ったのがリスボン大震災という出来事でした。

地震の数ヶ月後に「リスボンの災厄に関する詩」（一七五六年）が発表されます。副題は「『すべては善である』という公理の検討」です。この詩に最善説へのはっきりとした疑念を見て取ることができます。その疑念は詩の冒頭を読めば明らかです。

不幸な人間たちよ！　嘆かわしい大地よ！
人間たちの怖ろしい群れよ！

いつ終わるとも知れぬ無用な苦痛!
「すべては善である」と叫ぶ、過《あやま》てる哲学者たちよ
駆けつけよ、このおぞましい廃墟《はいきょ》を観想せよ
この瓦礫《がれき》を、この残骸を、この不幸な遺骸を
重なりあうこの女たち、この子どもたちを
この砕けた大理石の下に散らばるこの四肢を
大地に呑まれた十万もの不運な者たちを観想せよ
彼らは血を流し、引き裂かれ、なおもひくひく動き
わが家の屋根の下に埋まり、無援のまま
責め苦の恐怖に襲われながら痛ましい最期の日々を終えつつある!
彼らの声が言葉になるかならぬかの叫びをなすのを耳にし
遺骸が煙をあげるおぞましいスペクタクルを目にして
「これは、自由にして善良なる神の選択を必要とする
永遠の諸法則の結果である」とおまえたちは言うのだろうか?

積み上がる犠牲者を見て、「神は復讐《ふくしゅう》をしたのだ、彼らの死は彼ら自身の罪の対価だ」とおまえたちは言うのだろうか？ 母の胸に抱かれたまま押し潰され血を流しているこの子どもたちがいかなる罪、いかなる過ちを犯したというのか？ もはや存在しないリスボンには、悦楽に浸っているロンドンやパリよりも多くの悪徳があったというのか？ リスボンは破滅の淵《ふち》に沈み、パリでは人々が踊っている。

誰の目にも明らかな大災厄、それに相当する罪過などとても想定することのできないほどの甚大な悪が、突如、何の脈絡もなく降りかかってきた。それが罪深い人々に対する懲罰だと仮に見なしたところで、敬虔な信者の集うはずのリスボンがなぜ、よりにもよって標的とされなければならなかったというのか？ さらに言えば、原罪以外の罪をいっさい犯していないことが明らかな無垢な赤ん坊がなぜ、そのおぞましい懲罰を受け、血祭りに上げられなければならないのか？ 最善説を論ずる者たちよ、おまえたちの理屈できちんと説明をつけてみせてくれ。

じつは、この「リスボンの災厄に関する詩」には、「『いつの日か、すべてが善になるだろう』というのが私たちの希望である／『今日、すべては善である』というのは幻想である」との一節もあり、生ぬるいところがまったくないわけでもありません。それでは、未来の視点から現在の悪が肯定されてしまう可能性が完全には払拭できない。

とはいえ、手放しで最善説を受け容れる可能性はもはや残されていません。

パングロスの無神経な発言

そして、『カンディード』が書かれました。この小説はリスボン大震災だけに触発されて書かれたものではありませんが、第五章ではリスボン大震災がそのまま扱われており、否《いや》が応でも目を惹《ひ》きます。

リスボンでは、カンディード自身もひどい目に遭うし、街の惨状も見て心を痛めもするわけですが、同行者パングロスは例によって超然とした学者として充足理由律を唱え続けるだけです。

「リスボンの災厄に関する詩」で「過てる哲学者たち」と形容された者たちの戯画にあたるパングロスの無神経な発言だけを、以下におおむねすべて抽出してみましょう。

この現象の充足理由はどのようなものでありうるか？［……］この地震は目新しいものではありません。［……］去年、アメリカでリマという都市がこれと同じ震動を経験しました。原因も同じ、結果も同じ。きっと地下に、リマからリスボンまで硫黄の筋が走っているのでしょう。［……］物事は論証済みだというのが私の主張です。［……］物事は他のしかたでは存在しえなかった。［……］というのも［……］こうしたことはすべて、存在するなかでも最善のことだからです。というのも、リスボンに火山があるのであれば、その火山は他のところには存在しえなかったからです。というのも、物事がいま存在するところに存在しないというのは不可能だからです。というのも、すべては善だからです。［……］人間の堕落と神からの呪いは、最善の可能世界のなかに必然的に入っていた［……］。自由は絶対的必然性と両立しうる。というのも、私たちが自由であるということは必然だったからです。

災厄を前にして、使いものにならないどころか有害ですらある哲学的概念を廃棄するという身振りをヴォルテールが展開してみせたのは小説のなかでのことです。とはいえ、これは充分に哲学的な挙措たりえています。

哲学的概念の有害性をネチネチと皮肉で示していくという振る舞いは、哲学者の名を僭《せん》称《しょう》している堕落した者たちから本当の意味での哲学を奪還する身振りだと見なしてもいいでしょう。

その後、ヴォルテールが『哲学辞典』（一七六四年）を書き、その「善（すべては——である）」という項でも最善説に対して同様の攻撃を加えているということも、念のために書き添えておきましょう。

ヴォネガットとヴォルテール

『カンディード』に関するここまでの説明には、目新しいところはありません。このトピックは最近の日本でも、二〇一一年に大震災が起こったこともあって、あらためて注目の的となりました。

本章では、以上を長い出発点としたうえで、最善説とほぼ同一の論理立てに対してまた別のしかたで抵抗している人を紹介したいと思います。その人も、また別のしかたで「哲学」している。

カート・ヴォネガット（一九二二－二〇〇七年）がその人です。アメリカのSF作家です。ちょっとした挿話から始めましょう。ヴォネガットがヴォルテールに言及したことがあるかというと、じつはあります。私は一つだけ見つけました。他にもあるかもしれません。生前最後に刊行されたエッセイ集『国のない男』（二〇〇五年）の冒頭近くに、次のような一節があります。


可笑《おか》しくないものもある。たとえばだが、アウシュヴィッツについてのユーモラスな本や寸劇は私には想像できない。ジョン・F・ケネディやマーティン・ルーサー・キングの死について冗談をこしらえるのも私には不可能だ。ただ、それ以外であれば、避けられたらと思う題材、どうやっても料理できない題材など、私には一つも思いつかない。全面的なカタストロフィというのは怖ろしく面白い。ヴォルテールが証明したとおりだ。リスボン大震災は可笑しいではないか。

ヴォネガットの経験

「全面的なカタストロフィというのは怖ろしく面白い」だとか「リスボン大震災は可笑しいではないか」だとかいうのは、ひねくれた冗談だというのはすぐにわかるにしても、やはり不謹慎きわまりない発言ではあります。なぜ、こんな奇妙な話しかたをしているのでしょうか？

じつは、このヴォネガットという人は本当にひどい目に遭っており、この記述ではその経験がふまえられています。『国のない男』の、さきほどの引用に続くくだりも見てみましょう。

私はドレスデンが破壊されるところを見た。私は破壊前の都市を見て、それから防空避難所から出てきて破壊後の都市を見た。たしかに、笑いというのが一つの反応だった。魂が何らかの安らぎを求めたのかもしれない。

どんな題材も笑いの種になる。アウシュヴィッツの犠牲者たちがこしらえた、ぞっとするようなたぐいの笑いもあったのではないかと私は考えている。

ユーモアは、恐怖に対するほとんど生理的な反応である。［……］

なるほど、笑いの起こらない冗談といったものがあるのも本当だ。絞首台ユーモアとフロイトが呼んだものだ。現実の人生には、いかなる安らぎも想像できないほど絶望的な状況というものがある。

ドレスデンで爆撃を受けているとき、私たちは天井が落ちてきたときのために頭上に両腕を上げて地下室に座っていたが、一人の兵士が「今夜、貧しい人たちはどうしているのでしょうね？」と言った。雨の降る寒い夜に大邸宅にいる公爵夫人のようにである。誰も笑わなかったが、それでも私たちは彼がそう言ってくれて本当に嬉しかった。少なくとも、私たちはまだ生きているんだ！　彼はそれを立証してくれた。

ドレスデン爆撃

はじめに、ヴォネガットに関する基本的な情報を、私たちの議論に関わりがあるところに絞って提示しておきます。

この人はドイツ系移民の子孫で、アメリカで生まれ育っています。一九二二年生まれですから、青年期にちょうど第二次世界大戦に見舞われてしまう。そこで彼はヨーロッパ戦線に、それも、こともあろうに対ドイツ戦線に送られます。

彼は移民四世であり、もうドイツがそこまで「祖国」でもなくなっているのは事実です。親世代が第一次世界大戦を経験し、そのときにドイツという文化的背景が意図的に捨てられてもいるようです。

だとしても、ヴォネガットは中等教育ではドイツ語を学んでいるし、それなりに思い入れはあったのではないかと思います。そんな人が対ドイツ戦線に送られれば、ナチがいくら嫌いだとしても、相当に複雑な気持ちになるのではないでしょうか。

そして、彼は早々にドイツ軍につかまってしまう。捕虜となって、ザクセン州の州都ドレスデンに連行されます。ドレスデンは大都市です。軍事的にはあまり意味のない都市だったようですが、そこにつかまっているときに、なんたること、味方である連合国軍が無差別爆撃を仕掛けてきました。「ドレスデン爆撃」として知られる出来事です。

この空襲はドレスデンにとんでもない損害をもたらします。市街は瓦礫の山になってしまいますし、人的被害ももちろん大きかった。大規模な戦争災害・戦争犯罪の常で、正確な死傷者数はわかりませんが、何万という人が亡くなっているのは確実です。

ヴォネガットは生き延びました。アメリカに戻り、そこから紆余《うよ》曲折はありますが、SF作家になります。いくつかの作品を書きますが、そのあいだも、ドレスデン爆撃について何かをきちんと書きたいと思いつつ、しかし書けずにいる。書きあげられたのは二十年以上も後、一九六九年のことです。『スローターハウス5』がそれです。これが結局は彼の代表作となります。

SF『スローターハウス5』

『スローターハウス5』はヴォネガットが自分の体験にもとづいて書いたものですが、自伝や実録といったノンフィクションではありません。小説です。しかし、純然たる歴史小説や実録小説のようなものでもない。

作品中には、ある程度は作家本人の実録的な要素がそのまま確認できます。とくに、ドレスデン爆撃の前後に関してなど、歴史的経験の重要な部分はほとんど脚色されず、そのまま提示されています。しかし、実在する自分が主人公になるという形になっているわけでもありません。

第一章と最終章は、制作の背景を物語り、また「私」の執筆の現在時を語る特殊な章で、いわば「前書き」と「後書き」に相当するものとして読めます。そのため、ヴォネガットと同一視できそうな「私」が主人公になっています。しかし、その二つに挟まれた長大な本体部分は、これとは別の人物に主人公が委ねられています。その人物は「ビリー・ピルグリム」という名を付されています。

では、小説の本体がビリーのいわゆる純然たる戦争体験記のようなものになっているかというと、そうでもありません。『スローターハウス5』はSFなのです。

細かいことは端折って、設定だけお話しします。ビリーの生い立ちや、ヨーロッパ戦線への投入、ドレスデン爆撃の体験などは、実際の伝記的事実からずらされている部分もありますが、基本的にはヴォネガットの人生をなぞっています。ただ、ビリーは戦後に成功を収めるが一九七六年に死んでしまうという設定になっている。

　では、一九二二年に生まれて七六年に死ぬビリーの生涯記がただ綴《つづ》られているかというと、そうではありません。ある時点で、ビリーはタイム・スリップの能力を獲得してしまう。ただし、この能力を自分でコントロールできるわけではありません。彼は人生の節目に来ると別の時間にスリップしてしまいます。というか、精神が移動して、その時点の自分の体に入ってしまう。そしてまた別な時間に移り、ということを繰り返します。読者は、時間軸上を行きつ戻りつするビリーの奇妙な人生の流れをそのまま追うことになります。

　ビリーは、自分の最期の時すらあらかじめ知っているということにもなります。誕生と死ですでに区切られている自分の人生をあちらに行ったりこちらに行ったりさせられている、というイメージです。

　そのあいだに、ビリーはトラルファマドール星人という宇宙人に出会います。この宇宙人たちは時間を自由に往還できる存在で、宇宙の最初から最後までを知っている。彼らの思想の特徴は、要するに運命論です。自由意志など存在しない。何をしようとも、過去同様、未来も変えられない。未来は、そうなると決まっている何かにすぎない。

ビリーもトラルファマドール星人の思想に影響を受け、その思想を広めるようになります。

「そういうものだ」

『スローターハウス5』はこのような珍妙きわまりない小説ですが、この小説を読んだ人であれば必ず挙げるだろう、忘れがたい特徴がもう一つあります。

それは、作中に「そういうものだ」という表現が頻出するということです。英語で言えばso it goesです。「まあ、そうなるわなぁ」というほどの意味でしょう。

ヴォルテールの短篇「なるがままの世界」についてさきほど少しだけ触れましたが、「なるがままの世界（le monde comme il va）」という表現はそのまま英語に直訳すればthe world as it goesとでもなるところです。

ヴォネガットがこのヴォルテールの短篇を参照していたというのはあまりありそうもないことですが、「世の中、なるようにしかならない」というほどの共通の感慨がit goesという共通の表現への依拠を生んだということは言えそうです。

さて、この「そういうものだ」が『スローターハウス5』には百回以上出てきます。ある共通の特徴をもつ、とはいえ互いにバラバラの挿話が紹介されるたびにこれが書きつけられ、小説全体の語りに不思議なリズムが付与されていきます。

いくつか見てみましょう。

冒頭のいくつかの例

最初の例は、ヴォネガットと同一視できる「私」が戦後にドレスデンを訪問したときに案内してくれた運転手についての話に出てきます。

彼はゲアハルト・ミュラーという名前だった。彼は、自分はしばらくアメリカの捕虜になっていたと教えてくれた。共産主義体制下で生きるのはどんな感じかと聞くと、はじめはひどかったと彼は言った。誰もが本当にあくせく働かなければならなかったし、衣食住が不足していたから。でも、いまははるかにましになった。小さな、気持ちのいいアパートが自分にはあるし、娘はすばらしい教育を受けている。母はドレスデン空襲火災で焼けた。そういうものだ。

次に「そういうものだ」が登場するのは、これも「私」の追憶ですが、「記念品」についての話です。「記念品」というのは、戦争の最中に拾うなどして手に入れる戦利品のようなもののことです。

私が本書でポール・ラザロと呼んでいる狂暴な小男のアメリカ人は、ダイヤモンド、エメラルド、ルビーといったものを一クォートほどもっていた。ドレスデンの地下室にいた死人たちから取ったのである。そういうものだ。

次も「私」の話ですが、戦後に駆け出しのジャーナリストとして仕事をしたときの話です。

「……」若い復員軍人「……」が、とある事務所ビルの旧式エレベーターを動かすという仕事をしていた。［……］その復員軍人はエレベーターを地下に下ろそうとしてドアを閉め、降下させはじめた。だが、結婚指輪がドアの装飾に引っかかってしまった。彼は引っ張り上げられ、エレベーターの床は彼を宙に残して下がって行き、天井が彼を押し潰した。そういうものだ。

このようなエピソードが淡々と紹介されます。そして「そういうものだ」と来る。それから段落が変わると、たいていは、まるでそんな話はなかったか、あるいは些末《さまつ》なことだったかのように、違う話が始まります。

いわば、語りの水準でも一種のタイム・スリップのような断絶が挟まれると言ってもいいでしょう。

末尾のいくつかの例

次に、小説の最後のほうにある「そういうものだ」を見てみましょう。

ビリー・ピルグリムをはじめとする捕虜が、ドレスデン爆撃の後に、空襲で死んだ人たちを掘り起こすという作業をさせられます。実際に、ヴォネガットたちも同じことを経験したのでしょう。

一人のドイツ兵が懐中電灯をもって暗闇のなかに下りて行き、長いこと帰って来なかった。ようやく戻って来ると、穴の縁《へり》のところにいる上官に、下に数十の死体があると言った。死体は皆、ベンチに座っている。傷はない。

そういうものだ。

その先にも「そういうものだ」があります。

やがて、稼働している死体坑は数百になった。はじめは悪臭もなく、さながら蠟《ろう》人形館だった。だが、それから死体は腐って溶け、薔薇やマスタード・ガスのような臭気になった。

そういうものだ。

ビリーといっしょに［死体掘りの］仕事をしたマオリ人は、その臭気のなかに下りて行って働けと命令された後、吐くものもなくなっているのにえずき続けた。果てしなく戻し続け、胸をかきむしって死んだ。

そういうものだ。

そこで、新しい技法が考案された。もう死体は運び出さない。死体の見つかったその場で、兵士たちが火焔《かえん》放射器で焼却する。兵士は防空壕《ぼうくうごう》の外に立って、火を送りこむだけだ。

そのあたりのどこかで、かわいそうな老高校教師エドガー・ダービー［ビリー同様に捕虜となっているアメリカ兵］がつかまった。地下墓所から拾いあげたティーポットをもっていた。彼は略奪の科《とが》で逮捕された。裁判に掛けられて銃殺された。

そういうものだ。

畳みかけるような「そういうものだ」が、語りにリズムを与えています。

この最後のエドガー・ダービーのところは、最初のほうに出てきた「記念品」の話が伏線になっています。エドガー・ダービーは、何の気なしにドイツみやげのつもりで、そのへんに落ちているティーポットを拾いあげた。しかし、作業中は何も取ってはならないと厳命されていたので、銃殺されたということです。

居心地の悪いユーモア

さて、『スローターハウス5』はこのように、「そういうものだ」が挟まれて物語が進んでいくという形になっています。私はこの有名な「そういうものだ」に焦点を合わせたいと思います。

「そういうものだ」が登場するのは、ひどいこと、悲劇的なことが起こったときです。それに続けて、すぐに「そういうものだ」と書かれます。つまり、「どうしてそんなことが！」という、やりきれない思いが一方にありながら、「でも、しかたないんだ」という諦めの感情のようなものもある。その諦めのような何かが語り手を、そして読者をいわば慰撫していきます。そのつど「そういうものだ」で締めくくられるこのエピソードの連鎖につきあっているうちに、読者には、なんとなく可笑しみに包まれていくという不思議な感覚が生じてきます。

なるほど、出来事は沈鬱なトーンで淡々と物語られている。悲劇が茶化されているわけではけっしてない。にもかかわらず、ぎりぎりのところでの穏やかな諦めのようなものが起動させられる。その諦めはじんわりと共有されるようでもあり、すでに済んでしまった現実の出来事に対して過剰な冷徹さを見せるようでもある。そこから奇妙な、ぎりぎりのユーモアのようなものが立ち上がってくる。この居心地の悪いユーモアが、小説の最初から最後まで一貫して流れる不思議なトーンをしつらえています。

最善説・運命論の否定

では、どのようにして「そういうものだ」がこの不思議なユーモアを起動させているのでしょうか?

作中のビリー・ピルグリムも語り手「私」も、どうやらトラルファマドール星人の運命論に賛同しているようです。自由意志は否定される。何をやったところで悲劇的なことは起こるし、私たちにはそれは避けようがない。だから、どれほどひどいことが起こっても、そのつど「そういうものだ」という定型表現が出てくる。

では、そこから汲み取るべきヴォネガット自身の思想は運命論であり、諦めであり、自由意志の否定だということになるのでしょうか？

小説のような虚構作品から作者の思想を汲み取るのはつねに許されるわけではありませんが、さすがにこの作品についてはある程度まではそれも許されるでしょう。ドレスデン爆撃をはじめとして、不条理のかぎりを経験してきた人間にとって、自由意志は否定されるべきものであり、すべては運命として受け容れざるをえないものなのでしょうか？

私は、そうではないと考えています。

ヴォネガットが言わんとしているのは、『カンディード』を書いたヴォルテールが言わんとしていることとそれほど違わないのではないか、というのが私の考えです。要は、最善説や運命論のたぐいを否定するということです。おそらく、この小説の核心はそこにあります。

そういうものなはずがない

もちろん、作中のビリーも「私」も、「そういうものだ」によって運命論の受容を示しているように見えます。しかしそれは、あくまでもビリーがタイム・スリップの能力を獲得しているからにすぎません。

そんなことはありそうもないけれども、万が一にも私たちがトラルファマドール星人よろしくタイム・スリップによって過去にも未来にも行くことができるのであれば、運命論を信ずることもできるでしょうし、自由意志も否定できるでしょう。しかし、実際にはそんなことはありえない。だから、運命論には絶対に屈することができない。

要するに、「運命論に屈して『そういうものだ』とうそぶくなんて、それこそトラルファマドール星人にでもならなきゃ、できるわけがないだろ!」ということです。

つまり、「そういうものだ」は、そのつど、「そういうものなはずがない!」という、怒りと悲しみのないまぜになった無言のメッセージをともなっているということです。私たちはそれを薄々と感じ取る。それが奇妙な味のユーモアを生み、物語のなかで私たちを導いていく。おそらくはそういう造りになっているのだろうと思います。

二十世紀のヴォルテール？

ここまで見たうえで、ヴォネガットの『カンディード』への言及に思いを馳《は》せると、なかなか含蓄が深くなるのではないかと思います。

ヴォルテールはリスボン大震災をきっかけとして最善説を批判しました。しかし、最善説をはじめとする運命論はおそらくは完全に死滅することはなく、人間が人間であるかぎり、ちょっとでも気を抜くと顔を出してくる何かなのだろうと思います。それはリスボン大震災から二世紀近く後にもやはり同じように人間たちを襲った。

この論理に対する抵抗として、「そのような論理を展開することが許されるのはせいぜいが時間旅行者だけだ。百歩譲って、時間旅行者だけは『そういうものだ』と言ってもかまわないだろう。だが、それ以外の人がそんなことを言うのは絶対に許されない」と示すという、怖ろしくひねくれたやりかたを採用した人がいた、ということです。おそらくは、彼にはそれしかやりかたがなかった。経験したことの「語れなさ」に語りを与えつつ、しかも運命論的な論理に対しては大きなノーを突きつけるという方程式を解くには、彼のばあいはSFという装置が絶対に必要だったというわけです。

ヴォネガットのことを二十世紀のマーク・トウェインだと形容する人もいますが、ある意味では彼は二十世紀のヴォルテールだと言ってもいいのではないでしょうか？　そして、そのかぎりで、ヴォネガットもまたヴォルテール同様に、充分に「哲学者」だったと言ってもいいのではないでしょうか？

第五章　いまがその時間

キングとヴォネガット

映画や小説といったフィクションにおいてではなく、実際の闘争の場に現実の人間が概念を投入して「哲学者」になる事例としては、すでに萱野茂を扱いました。本章で扱うのもそのような事例です。アメリカ黒人公民権運動の立役者の一人であるマーティン・ルーサー・キング・ジュニア（一九二九―六八年）の話をしましょう。

ちなみに、キングとJ・F・ケネディについては、その「死について冗談をこしらえるのも私には不可能だ」とヴォネガットも述べていましたが、『スローターハウス5』最終章にはいみじくも次のようにあります。

ロバート・ケネディ［J・F・ケネディの弟］の夏の別荘は、私が一年じゅう住んでいる家から八マイルのところにあるが、彼は二日前の夜に銃撃された。昨夜死んだ。そういうものだ。

マーティン・ルーサー・キングは一ヶ月前に銃撃された。彼も死んだ。そういうものだ。

公民権運動の始まり

まず、公民権運動について、最低限の概略を辿るところから始めましょう。

アメリカの奴隷制度は十九世紀にすでに撤廃されていましたが、一九五〇年代にも依然として人種差別が制度的・社会的に残存していました。とくに南部でその傾向は顕著でした。たとえば、白人専用の喫茶店があり、白人用／黒人用と区別された学校がありました。

顕著かつ典型的なのがバスにおける差別でした。前のほうの席は白人用、後ろのほうは黒人用となっていて、乗りこむためのドアも前部と後部と二つありました。黒人は後部から乗りこむわけです。ただ、料金の支払いは運転席にいる運転手に対しておこなうわけで、黒人は前部ドアからいったん乗って料金を支払って下車し、あらためて後部ドアから乗りこまなければいけません。

また、白人用座席が満席になると、あぶれた白人は黒人用座席に座ることができます。逆はもちろん許されません。さらに、白人と黒人は同列に並んで座ってはならないと決まっている。ということは、黒人用座席に白人が一人でも座ることになれば、その列に座っている黒人は全員が離席しなければなりませんでした。他に白人がいなければ、その列の他の席は空席になります。それでも黒人は立っていなければなりません。

一九五五年十二月、アラバマ州モントゴメリーで、ローザ・パークスという名の黒人女性が仕事からの帰途、バスの席を規則どおりに白人の乗客に譲れという運転手からの指示に従わなかったかどで逮捕されました。これが発端となり、黒人たちによる大規模なバス乗車ボイコット運動が組織されました。

この運動の主導的地位に就くよう依頼されたのが、モントゴメリーにやってきて一年あまりの、キングという名の若い牧師でした。

この運動がその後、予想に反して一年にわたって展開され、しかも最終的に成功を収めることになりました。この「モントゴメリーのバス・ボイコット」を終結させたのは、合衆国最高裁判所の出した、交通機関における人種差別を違憲とする判決でした。

キングは黒人公民権運動の主導者の一人となり、各地におもむいては集会に参加したり演説をおこなったりするようになりました。

しかし、運動は必ずしも快進撃を続けたわけではありません。人種差別を継続している施設に座りこむ「シット‐イン」や、人種差別を継続しているバスに乗りこむ「フリーダム・ライド」などが各地で展開されましたが、残念ながら、モントゴメリーにおけるほどの大成功と認知は得られませんでした。

「バーミングハム刑務所からの手紙」

キングは一九六三年、差別の牙城の一つであるアラバマ州バーミングハムに乗りこんで運動を組織し、膠着《こうちゃく》した状況を打開しようとします。そこでデモに参加していると、逮捕され刑務所に入れられます。四月十二日のことです。

彼はその翌日、地元の穏健派の白人聖職者たちによる共同声明を獄中で読むことになります。差し入れられた新聞に掲載されていたその声明は、おおむね次のような内容のものでした。人種差別は是正されるべきだが、その是正は法廷でおこなわれるべきであり、余所者《よそもの》が指揮する黒人のデモのような、性急かつ過激な運動は認められない。法・秩序・常識に照らして、黒人コミュニティはこの運動から手を引くべきである……。

これに対してキングが数日のうちに獄中で書きあげた長い反論が、現在「バーミングハム刑務所からの手紙」として知られているものです。本章で中心的に扱うのはこの「手紙」です。

キングの主要著作としては、運動初期の総括にあたる『自由への大いなる歩み』(一九五八年)をまずは挙げるべきと思いますが、『私たちはなぜ待てないか』(一九六四年、日本語訳の題名は『黒人はなぜ待てないか』)に収められたこの「手紙」もそれに劣らず重要です。ある意味では、これは「私には夢がある」のリフレインで知られるあの「ワシントン大行進」(一九六三年八月二十八日)のスピーチより重要かもしれません。

「手紙」は即時の効果を発揮しなかった

とはいえ、この「手紙」の重要性はその効果や影響力によって計られるものではありません。この「手紙」は実際、即時の効果を発揮することはありませんでした。

「バーミングハム闘争」は、それとは別の成り行きから成功を収めます。それまで、デモへの青少年の動員は控えられていたのですが、それが解禁された。すると、警察は子どもに対してさえ暴力的に介入しました。そのおぞましい光景がアメリカ全土に報道されたことで、奇しくも公民権運動は賛同を得ることになった。

そこから「ワシントン大行進」、一九六四年公民権法の成立、キングのノーベル平和賞受賞（一九六四年）と続きます。そして、彼は数年後（一九六八年）には暗殺されてしまう。

そう考えてみても、「バーミングハム闘争」は、キング存命中の運動の、後半の皮切りとなる重要な契機だと言えます。

「バーミングハム刑務所からの手紙」が、その闘争の展開において充分に積極的な役割を果たすことができたわけではないというのは事実だとしても、にもかかわらずこれが重要性を失うわけではないのは、これから見るとおり、膠着している状況を正面から注視し、「哲学」することで抵抗の形を示すことができているからです。

タイムリーではない運動

その抵抗にあたって、中心的な概念として立ち上げられたのは「時間」です。何の変哲もない単語ではあります。

冒頭から、この時間なるものが問題化されています。白人聖職者たちがキングたちの活動を形容した「賢明でもなく、タイムリーでもない」という表現が、「手紙」を書くきっかけとして最初に引かれている。この表現が彼に「手紙」を書かせる動機となりました。タイムリーでないとは何か、タイムリーであるとは何か？　タイミングがいいとか悪いとかいうのはどのようなことなのか？　キングはこの問いに幾度も立ち返っています。

あなたたちの声明にあった要点の一つは、バーミングハムで私が仲間たちとおこなった行動がタイムリーではないというものです。「新しい市政［ちょうど市長選に勝利したばかりのアルバート・バウトウェルが運営するはずの、相対的に穏健と想定される市政」に対して、行動するための時間を与えるということをしなかったのはなぜなのか？」と聞いてきた人もいた。この質問に対して私が与えることのできる唯一の回答は次のとおりです。バーミングハムの新しい市政は、任を辞した行政［強硬な人種差別主義者ユージン・コナーによる前市政］同様につっつかれなければ、行動することはないだろう、と。もし私たちが、アルバート・バウトウェルが市長に選出されたことでバーミングハムに至福千年紀がやってくるような気がするとしても、それは悲しいかな、誤りです。

「つっつく」ことで生ずる「緊張」が、「穏健」の対立物として肯定的に主張されるということについては少し後で検討します。ここではとりあえず、緊張の生産が「タイムリーなもの」への抵抗をなすということのみ確認しておきましょう。

そして、さらに直接的な言明が登場します。

率直に言って、私が関わった直接行動作戦は数あれど、いまのところそのなかに、人種隔離という疾病で不当に苦しんだことのない者たちから「タイミングがいい」と見られたものはありません。もう何年にもわたって、私は「待て！」という語を耳にしてきた。これは黒人の一人ひとりの耳に馴染《なじ》みのもので、心を突き刺すように鳴り響くものです。この「待て！」はまずもってつねに、「絶対だめだ！」を意味してきました。私たちは、ある高名な法律家の言っている、「あまりに長く延期された正義は、拒否された正義である」ということがわかるようにならなければなりません。

キングが言うのは、抑圧する側から「ちょうどいいタイミングでおこなわれたタイムリーな行動だ」と評価してもらえるような運動など、定義上ありえないということです。時間をめぐるこの捉えかたの違いにこそ問題は帰着します。そして、わざと生み出される緊張によってこそ、この齟齬《そご》は表面化されます。

「神話的な時間概念」

どういうことかというと、モントゴメリーのバス・ボイコットのような運動初期はいざ知らず、バーミングハム闘争の時期には、問題化されるべきはすでに、強硬な人種差別主義ではなく、外見上は運動に理解を示す穏健主義になっていたということです。

人種差別は、「待て!」という形を借りて、穏健主義のなかに生き延びる道を見いだしていました。運動の発展につれて問題は核心へ、つまり時間をめぐる問いへと深化したと言えます。

「……」この数年間というもの、白人穏健派にはひどく失望しました。私がほとんど到達してしまった遺憾な結論によれば、自由への大いなる歩みを進めるうえで黒人のつまずきの石となるのは、白人市民会議やクー・クラックス・クランといった連中ではなく、白人穏健派のほうなのです。白人穏健派は、正義より「秩序」に身を捧げ、正義の現前という積極的な平和より緊張の不在という消極的な平和のほうを好み、

「あなたたちの求める目標には賛成だが、直接行動という方法には賛成できない」とたえず口にし、自分こそが他人の自由獲得の時間割を設定できるのだと慈父気取りに信じている。彼らは神話的な時間概念で生きており、黒人に対して「もっと都合のいい時節」まで待ってはどうかとたえず助言する。

「神話的な時間概念」と彼が呼ぶものの内実は、ほとんど間をおかずに、「奇妙にも非合理的な観念」として、あらためて具体的に示されています。

私は、白人穏健派が、自由を求める闘争について、時間に関する神話を拒絶してくれないものかと願っていました。私は、テクサスの白人修道士から手紙を一通、受け取ったところです。その人は次のように書いています。「有色の人々が、いつかは「白人と」同等の権利を受けることになるということは、すべてのキリスト教徒の知るところです。しかし、あなたたちはあまりに、宗教的見地からの性急さのうちにあるかもしれない。キリスト教世界は、いま手にしているものを完成させるのにほぼ二千年かかりました。キリストの教えは、この地上に到来するのに時間がかかるのです」。このような態度は、ある悲劇的な、時間の誤った構想に立脚しています。その誤った構想とはつまり、時間の流れ自体のなかに何か、あらゆる病気を不可避的に治療することになるものがある、とする、奇妙にも非合理的な観念のことです。じつのところ、時間自体は中性的なものです［それ自体としては肯定的でも否定的でもない］。時間は、破壊的にも構築的にも用いられうる。［……］人間の進歩は不可避性という車輪がまわるように進んでいくものではけっしてありません。人間の進歩は、神とともに働く者たろうとする人々の倦《う》まぬ努力を通じて到来するのであり、この大変な働きがなくなると、時間自体は社会を停滞させる力に与するものになる。私たちは、正しいことをおこなうためには時間はつねに熟している、ということを知っています。ならば、時間を創造的に用いるのでなければなりません。民主主義の約束を現実のものとし、私たちの宙吊《ちゅうづ》りになった国家的哀歌を兄弟愛の創造的賛美歌へと変形する、いまがその時間です。私たちの国家政策を人種に関する不正の流砂から引き上げ、人間的尊厳という堅固な岩の上に置きなおす、いまがその時間です。

「手紙」全体を律する時間論

「手紙」は、必ずしもこの時間論だけに割かれているわけではありません。事実、「過激」であることについての考察、既存の教会に対する批判、黒人の置かれた状況についての具体的説明など、このテクストを構成する要素は他にもあり、いずれも議論にとって不可欠のものではあります。読者の心を震わせるだろう細部の多くがむしろそちらに見いだされるというのも事実です。

しかし、一方に「穏健」な者たちの、「いつかは」到来するという「タイミングがいい」「もっと都合のいい時節」までは「時間がかかる」とする「時間の誤った構想」としての「神話的な時間概念」があり、他方に「緊張」や「宗教的見地からの性急さ」を生む者たちの、「つねに熟している」「創造的に用いる」「いま」という時間がある、というこの構図が、この「手紙」全体を律し、論述にリズムを与えていることは間違いありません。

アフリカでの旧植民地の独立ラッシュ（一九六〇年）をほのめかしつつ語られる、「意識的にせよ無意識的にせよ、彼［アメリカの黒人］は時代精神《ツァイトガイスト》にとらわれたのです。合衆国の黒人は、アフリカの黒い兄弟たちや、アジア・南アメリカ・カリブ海の褐色や黄色の兄弟たちとともに、人種に関する正義という約束の土地に向けて、非常な緊急性の感覚をもって進んでいるのです」という文言も、世界的規模で「いま」が到来しているのがこの時代なのだとする言明として読めるでしょう。

さらに言えば、「これほど長い手紙を書いたことは、かつてありません。長すぎて、あなたたちの貴重な時間を取ってしまうのではと心配です」という、結びの言葉の冒頭に書きつけられた、一見すると何の変哲もない儀礼的修辞とも思える文言も、時間に無頓着な「穏健」派への痛烈な皮肉になっていると読むのが自然でしょう。「もっと都合のいい時節」までやすやすと引き延ばすことができるらしいあなたたちの融通無碍《むげ》な時間も、しかしさぞや貴重なのではありましょうね、というわけです。

この皮肉は、続きを読むことでさらにはっきりします。「快適な机で書いたのなら、これはずっと短いものになっていたはずです。ですが、狭い独房で一人きりであれば、長い手紙を書き、長い思考をめぐらし、長い祈りをする以外、何ができるでしょう?」白人穏健派においては、長いはずの時間が皮肉のなかで貴重なものとなる一方で、やらねばならぬことがあるのに獄中で時間をつぶすことを余儀なくされるキングにおいては、緊急性が思考の速度自体を増し、「いま」という時間が焦燥のなかで拡張されていきます。

「ワシントン大行進」のスピーチとの比較

この「手紙」のほうがもしかすると「ワシントン大行進」のスピーチよりも重要かもしれないのは、この時間論がじかに状況に触れており、状況を論ずることに力ずくでとどまっているからです。

なるほど、「大行進」スピーチも、「手紙」同様に「いまという猛烈な緊急性」を喚起してはいます。

私たちがこの聖所にやって来たのは、いまという猛烈な緊急性をアメリカに思い出させるためでもあります。もはや、熱を冷ますという贅沢《ぜいたく》にかかずらったり、漸進主義という鎮静剤を服用したりする時間はありません。民主主義の約束を現実のものとする、いまがその時間です。人種隔離という暗く寂しい谷間から人種に関する正義という日の当たる道へと立ち上がる、いまがその時間です。私たちの国を人種に関する不正の流砂から引き上げ、兄弟愛という堅固な岩へと置きなおす、いまがその時間です。神のすべての子どもたちに対して正義を現実のものとする、いまがその時間です。

なるほど、ここには「手紙」と同じ切迫感がある。部分的に同一の表現も確認できます。しかし、ご存じのとおり、数分後にキングはこの焦燥を脇に置き、将来の夢を見始めてしまう。もちろん、それは非常に美しい夢ではありますが、参照されるのはもはや「いま」ではなく、「いつの日か」になっている。「私には夢がある。いつの日かジョージアの赤土丘陵《レッド・ヒルズ》で、かつての奴隷の息子たちとかつての奴隷主の息子たちが兄弟愛のテーブルに同席できるようになるだろうという夢だ」云々というわけです。

夢を見るのはもちろん結構だけれども、その夢は速やかに実現されなければならないはずです。「漸進主義という鎮静剤を服用し」ないというのはそういうことでしょう。しかし、現実のあまりの手ごわさによって結局キングはひるんでしまい、ここでは「いつの日か」を具体的にイメージすることを控えてしまっている、と言ってもいいかもしれません。

それに対して、「手紙」のほうは徹頭徹尾、時間に関する二つの構想のあいだの闘争として組織されています。そのことは、バーミングハム闘争の時期のテクストをまとめた本が『私たちはなぜ待てないか』と題されていることにも端的に表現されているとおりです。この時期の具体的闘争において、時間が本当に中心的な問題を構成していたことが窺えます。

「熟慮されたスピード」

この点は実際の文脈を参照することでより明確化されます。「私たちはなぜ待てない」のか、なぜ「時間を創造的に用いる」必要があるのか？「黒人革命」と「癒す剣」という、やはり『私たちはなぜ待てないか』に収められたテクストを参照することで、当時の具体的状況を垣間見《かいまみ》ることができます。まずは「黒人革命」から引用してみましょう。

黒人は、学校の人種隔離撤廃の緩慢なペースにひどく落胆してきた。一九五四年にこの国の最高法廷が、学校の人種隔離撤廃を「よくよく熟慮されたスピードで」おこなえと命ずる判決を下した、ということを黒人は知っていた。そして、最高裁判所が下したこの布告が、よくよく熟慮された遅延で留意された、ということを黒人は知っていた。この歴史的決定から九年後となる一九六三年のはじめには、南部の黒人児童のほぼ九パーセントが人種統合された学校に通っていた。このペースが維持されるとすると、南部の学校での人種統合が現実のものとなるころには二〇五四年になっていることだろう。

白人用／黒人用学校という差別的制度が存在していたことにはすでに触れましたが、最高裁判所は一九五四年に、それにはきちんと異を唱えてはいる。ただし、性急な統合は深刻な衝突を引き起こしかねないという配慮から、統合は「よくよく熟慮されたスピードで」おこなえという文言が判決文に付け加えられた。ところが、この「熟慮」が穏健主義者の手中に収まったとき、スピードは遅延へと姿を変えてしまいます。こんな曖昧な文言さえなければ、統合は即座になされたことでしょう。

しかし、即時でなければ、つまり少しでもペースやスピードが想定されるならば、遅延はいくらでも起こりうる。

要するに、穏健主義者たちの言い分は「止まってさえいなければいちおうスピードはありますよね？『よくよく熟慮』すれば、このくらい遅くてもしかたないですよね？」ということです。時間を構想する権力を保持する者が誰であるのかによって、その速さや遅さが左右されるのは当然です。以下も「黒人革命」からの引用です。

現状を擁護するこの者たち［人種差別主義者たち］は［判決を受けて］まず猛《たけ》り狂ったが、その憤激が治まると攻勢に出て、自分たちでこしらえた変化のスケジュールを押しつけてきた。熟慮されたスピードで到達されるべしと想定された進歩が変化をもたらしたのは、南部のほとんどの地域においては二パーセントにも満たない黒人児童に対してであり、南部の最深部のいくつかの場所では、それは一パーセントの十分の一にも満たなかった。

トークニズム

最高裁判所の判決の文言をいわば悪用したこの操作は、あろうことか最高裁判所自体によって、事実上裁可されることになります。やはり「黒人革命」の、さきほどの引用の少し後に次のようにあります。

［……］一九五四年の決定から間をおかず、最高裁判所は児童選別法を「合法であると」承認することで、自分自身の「人種差別を否定する」立場から後退してしまった。この法は、児童がどの学校に入学できるかを、家族の背景、特別な能力その他の主観的規準によって州が決めることができるとするものだった。児童選別法は学校の人種統合に変形や制限を加えるものであって、人種隔離を撤廃しようとしていた最初の決定とはまったくかけ離れたものだった。専門的には立場を逆転させないまま、裁判所はトークニズムに法的裁可を与え、形式上は合法的ではないはずの人種隔離が実質的には無限定の期間にわたって続く、ということを保証したのだ。

トークニズムというのは、たとえばテレビや映画で黒人や女性といったマイノリティをおしるし《トークン》としてわずかに登場させることで、差別が存在しないという外見を作り出し、差別への批判を回避することを指します。

この傾向についてはキングもすでに語っています。「癒す剣」で彼は、「あちこちに「黒人」裁判官がいるし、じゅうたんの敷かれた部屋の、つやつやの机に着いている「黒人」重役も一人いるし、大臣になるまであと一歩という「黒人」政府高官も一人いるし、軍に護《まも》られてミシシッピの大学に通っている「黒人」学生も一人いるし、ある大都市の全高校では合計三人の黒人の子どもが受け容れられた」と列挙しています。

これらはすべておしるし《トークン》であって、依然として存続している人種差別という現実を見えにくくするために用いられたものだというのがキングの主張です。

代用貨幣《トークン》

ただし、彼はまた別の興味深い説明もおこなっています。

同じく「癒す剣」で、キングは純朴さを装い、辞書を引いてみせることから始めています。トークンとは何か？　「象徴。指標、証拠。例：友情のしるし《トークン》。記念品。貨幣の代わりに用いられる金属片。例：売られている代用貨幣《トークン》で乗りものの運賃を支払う。記号、しるし《マーク》、エンブレム、思い出の品、兆し」。

ここから始まるキングの急ごしらえの記号論は、即座に公民権運動の歴史を参照します。そう、乗りものといえば、ローザ・パークスが座席を立たなかったときから「フリーダム・ライド」の当時に至るまで、まずはつねにバスでした。バスに乗るときに貨幣の代わりに用いるもの（代用貨幣《トークン》）が定義上はらむ問題に、キングは注意を喚起しています。以下も「癒す剣」からの引用です。

そのこと［最高裁判所が一九五四年の決定以降に児童選別法を裁可したこと］が意味したのは次のとおりである。黒人は、本物のコインを象徴する［つまり同じ価値をもつとされる］ピカピカの金属を手渡され、民主主義行きの小旅行を許可されたかもしれない。ところが、コインではなく代用貨幣《トークン》を売っている者が、その代用貨幣《トークン》の価値を取り消す権力を、目的地に辿り着かないうちにバスから降りろと命ずる権力をつねに保持しているのだ。トークニズムとは［いずれ］支払いをするという［空］約束なのだ。民主主義とは、最もきちんとした意味では、支払いをするということである。

それは「公民権」ドルと同様の価値のあるメダルだよと言われて渡され、行先表示に「民主主義」と書かれたバスに信用して乗りこむ。「公民権」ドル区間の終点である「民主主義」に到着するまで、汗をかいた手のなかにそのメダルを大事に握りしめているが、それは単なる金属片だと途中で告げられるのではないかという不安がしだいにつのってくる――この悪夢は、キングが運動のなかでこそ思いつくことのできた、おそらくは最も強烈な譬えです。

「ワシントン大行進」のスピーチ――小切手

なお、「ワシントン大行進」のスピーチにもこの譬えは形を変えてこだましています。

そこで貨幣の代わりとなっているのは代用貨幣《トークン》ではなく小切手、約束手形です。この小切手の譬えが登場するのは、さきほど引いた「いまという猛烈な緊急性」に関する一節の直前にあたり、スピーチ全体ではおおむね冒頭部に相当します。スピーチ原稿の冒頭部は「癒す剣」とほぼ同じトーンで書かれていると言っていいでしょう。

ある意味では、私たちが首都にやって来たのは小切手を現金化するためです。私たちの共和国の建築家たちが憲法と独立宣言のすばらしい文言を書いたとき、彼らはアメリカ人の一人ひとりが相続人となるはずの約束手形に署名していた。その手形はすべての人間が、そう、白人と同様に黒人も「生命、自由、幸福の追求」という不可譲の権利を保障されるだろうという約束でした。

有色の市民に関するかぎり、アメリカがこの約束手形の支払いを履行してこなかったというのは明白なことです。この聖なる義務を履行する代わりにアメリカが黒人に与えてきたのは不渡り手形、「不充分な資金」と記されて戻ってきた小切手でした。しかし私たちは、正義の銀行が破産しているなどと信ずることを拒否します。私たちは、機会というこの国の大金庫に不充分な資金しかないなどと信ずることを拒否します。だから、私たちはこの小切手を現金化するためにやって来ました。要求に応じて自由という富と正義の保障とをもたらしてくれる小切手をです。

ただ、「癒す剣」における代用貨幣《トークン》の譬えのほうがやはり優れているでしょう。不渡り手形はもはや現金化することができないというわけで、ひどい話ではあるけれども、そのひどさは判然としている。それに対して、代用貨幣《トークン》のほうは、現金と等しいものと見なしてもらえるかどうかがいつになってもわからないという不安と恐怖が持続します。

破られない約束?

約束は本来、守られるか破られるかです。約束はもちろん守られるべきであって、守られることを前提としてなされますが、とはいえ、破られる可能性がなければ約束というのはありえないというのも事実です。

破られないことがあらかじめわかっているような約束があるとすれば、それは関係者間でなされる将来の予定の確認にすぎません。厳密に言えば、そんなものは約束とは呼べません。

「自分が破ってしまう可能性は原理上は皆無ではないし、将来のことを私は完全に保証できるわけではないけれども、それでも、あるいはだからこそ、私は故意には破らないし、破らないよう努めると明言します」というのが約束というものでしょう。

ところが、トークニズムにおいては、いわば約束は破られることが定義上ありえません。破られそうになるごとに期日が延期されるからです。破られることがない以上は、守られていないとも言えない。しかし、これが約束と言えるでしょうか？

本来、約束が守られたか破られたかは、期日に至れば必ず判明するはずであって、守られるにせよ破られるにせよ、この期日への原理的な到達可能性が約束を約束たらしめています。

ところが、トークニズムにはその可能性がありません。これは期日のない約束だ、破られる可能性すらそもそも破られてしまっている偽の約束だと言うこともできるでしょう。

キングたちが「なぜ待てない」のか、待つ時間がなぜ廃棄されなければならないのか、もう明らかでしょう。問題の核心にあるのが無限の延期という現象である以上、問題の解決にあたって延期という手段を用いることは当然できません。時間が解決してくれるなどということはありえない。

そこで提起されるのが、「手紙」で説明されている「創造的に用いる」時間、「いま」という時間だというわけです。

パウロに成り代わるキング

さて、この「手紙」を書いたのは誰でしょうか？　「いまがその時間です」と言っているのは誰でしょうか？

もちろん、それは獄中のキングです。しかし、この時間論は彼が一から作りあげたものではなく、どこかで拾いあげたものかもしれません。ントーニが浜辺で魚の譬えを拾いあげたようにです。キングの浜辺はどこだったのでしょうか？

パウロが彼の浜辺です。聖職者キングにしてみれば、驚きのない選択ではあります。

パウロは、イエスの死後に回心し、伝道に後半生を捧げた人物です。『新約聖書』には、「使徒言行録」に記載があるほか、彼が書いたとされる多数の書簡も収められています。

宣教者はとりわけパウロに自分を重ねたくなるところがあるでしょう。

キングも例外ではありませんでした。示唆的な例を一つ挙げておきます。

キングはモントゴメリーのバス・ボイコット運動の最中に奇妙な説教をおこなっています。「アメリカのキリスト教徒へのパウロの手紙」と題されたその説教は、「使徒パウロのペンによる想像上の手紙を皆さんと共有したいと思います。消印から、この手紙はエペソからのものとわかります」云々と始まっています。ギリシア語で書かれたその手紙をキングが懸命に英語に翻訳したのが説教の本体であって、「内容が奇妙にも、パウロふうというよりキングふうに聞こえるかもしれませんが、それはパウロのほうに明晰さが欠けていたからではなく、私のほうに完全な客観性が欠けているからです」などと釈明がなされています。

要するに、千九百年前の人パウロがまだ生きており、現在のアメリカの状況を耳にして手紙を送ってきたというのがその設定です。「数年前、ローマのキリスト教徒にも言ったことですが」と前置きがあったうえで、『新約聖書』所収の「ローマ人への手紙」が引用される、というぐあいです。

この、冗談めかした偽書のなかで、語り手パウロは、アメリカは科学的・技術的には大変に進歩しているが道徳的には進歩しておらず、資本主義による搾取や人種差別など驚愕に値する状況が見られ、このような状況からの脱却には何よりも愛が必要だ、と説いています。

内容はさほど独創的ではありませんが、キングがパウロに成り代わって語るというこの着想自体は聴衆に受けたらしく、この説教は少なくとも二回は使われたようです。わずかに改変されたヴァージョンが、バス・ボイコット運動の時期の説教集『汝の敵を愛せよ』に収められています。

パウロへの明示的言及

キングは七年近く前のこの「手紙」をおそらくは思い出しつつ、第二の「手紙」を書いたのでしょう。差出人から公式の宛先に届くだけでなく、それ以外の人たちにも届くという公開書簡的な位置づけも、獄中からの手紙を声明へと転用するという形式も、パウロ書簡のありかたをそのまま借用したものと言えます。

「バーミングハム刑務所からの手紙」には、自分の見倣うべき人物としてパウロが二度にわたって登場してもいます。

まずは、「余所者」の介入に対する非難に抗してキングが書きつけている文言のなかにパウロがいます。「[……]使徒パウロが自分の町タルソスを離れて、イエス・キリストの福音をギリシア - ローマ世界の隅々まで運んだのとちょうど同じように、私も自由の福音を自分の郷里を越えたところに運ばなければなりません。パウロのように、私もマケドニア人の救援要請に不断に応えなければなりません」。

また、「過激」であることへの非難に対してキングが挙げる過去の「過激派」たちのなかにも、イエスやマルティン・ルター、エイブラハム・リンカンなどとともにパウロの名が見られます。「『私はイエスの烙印《らくいん》を身に受けている』と言うパウロは、キリスト教の福音のために活動する過激派だったのではないでしょうか?」

ただ、この種の参照はべつにこの「手紙」にかぎって見られるわけでもありません。

一九五七年の説明

大事なのはやはり、あくまでも「手紙」における議論の骨格自体が本当に「パウロふう」になっているということです。その骨格を支えているのが、本章で問題にしている時間論自体なのではないかというのがここでの仮説です。キングの時間論はパウロの時間論を借りたものなのではないか、ということです。

キングがパウロの時間論にそれまでに言及した事例はあまりありません。かろうじて一九五七年に、問答形式の教育的記事でパウロの時間論への言及がなされています。

上に立つ権威には服従せよというパウロ的な立場と公民権運動とは両立しないのではないかという質問に対して、キングは、パウロの時代の文脈を考慮に入れなければならないと回答しています。いわく、パウロは世界が近日中に終わると信じていたため、外的条件を変えるよりも新たな時代に向けて準備をせよと人々に説いた。当時は、たとえ既存の社会秩序が悪いものであったとしても、それを変えようという使命は意識されていなかった。しかし今日、私たちはパウロの時代とは異なる新たな時代に生きており、社会秩序を変えるべく受動的抵抗をおこなうことは正当化されうる……。

パウロ自身による説明

世俗の権威への服従を説く当該の一節は「ローマ人への手紙」に見られます。支配者もまた神に由来し、私たちに善をおこなわせるべく神に仕えているのだから従えというほどの理屈ですが、これは善政が無条件に前提とされている議論に見えます。つまり、施政者と神がなぜか同じ側に置かれています。

ちなみに、三共観福音書に見られる有名な「カエサルのものはカエサルに、神のものは神に」の挿話は、神と世俗権力がむしろ完全に分離され、そのうえで世俗権力にはごく限定的な権威だけが容認されているものと読めます。つまりイエスは、世俗権力が神の領域に踏みこむことを拒否している。パウロの理屈はこれとは異なっています。

あるいは、このパウロの理屈は、ただでさえ自分たちは怪しいセクトと見なされているのに、非本質的な不法行為によって権力者にさらに目をつけられてはたまらないということでひねり出された、戦略的な方便にすぎなかったのかもしれません。

いずれにせよ、聖職者キングがパウロ書簡の内容を表立って否定することは当然できません。そこで、キングは終末論を引きあいに出します。

パウロの終末論は、典型的には「テサロニケ人への第一の手紙」に見られます。パウロ存命中に神の国が到来し、それまでに故人となっている信者が、次いで存命中の信者がキリストによって天に上げられることになる。だからそれまでのあいだ、目醒《めざ》めてきちんとしていよう。「コリント人への第一の手紙」でも、キリストに先導される死者の霊的復活とともにこの世の終わりが語られています。パウロはこのような終末論を本気で信じていたと考えるのが妥当です。

キングの釈明の苦しさ

しかし、パウロは「世界自体が終わるっていうのに、いまさら社会改革なんかやっても意味ないよ」などとは言っていません。世界が終わるからといって何をやってもいいというわけではない。

むしろ、世界が終わるからこそ身を正さなければならないというのがパウロの主張です。とはいえ、その自己規律は権力者を糾問することにつながることはないし、権力者の課してくる秩序と齟齬を来《きた》すことも想定されていなかった。パウロは単に、善と社会改革のあいだをつなぐ回路をもちあわせなかったということです。

したがって、終末論にかまけていたから社会改革が説かれなかったと読めるキングの釈明には苦しいところがあります。

一つ考えられるのは、モントゴメリーでの運動が一区切りついて間もない一九五七年という時点ではまだ、キングのなかで時間論の必然性がそこまでの切実さをもって形をなしてはいなかったということです。

数年にわたる運動の膠着という不都合を経ることではじめて、「待てない」という切迫によって特徴づけられる時間論がようやく具体化しえたのでしょう。

救済されるべき、この現在時

では、パウロの説く、終末論をふまえた当の時間論の核心とはどのようなものでしょうか?

私たちはそれを、いくつかの断片的な文言からのみ推察できます。キングは聖書を「一六一一年ジェイムズ王欽定訳《きんてい》」で読んでいたと推定されているので、以下、この版から日本語に訳します。

「エペソ人への手紙」で、パウロは「莫迦ではなく賢者として、時間を救済して、自分が歩くところに慎重に目配りしなさい」と言っています。この「時間を救済して」という表現は「コロサイ人への手紙」にも見られます。ここは「時間を無駄にしないで、節約してうまく使って」というような平凡なニュアンスで捉えてかまわないでしょう。キングなら「創造的に用いて」と言うところかもしれません。なぜ救済・節約しなければならないかといえば、じきに神の国が到来してしまうのだとすれば、時間はどんどん足りなくなるからです。

救済されるべきこの時間は、「ローマ人への手紙」では「この現在時」と呼ばれています。いまというこの時間、というわけです。ただし、繰り返しますが、それは単に何の変哲もない現在なのではなく、終末が遠からず訪れるという焦燥を前提にしたうえで認識・感覚される慌ただしい現在です。

いまがその時間

その時間イメージが最も明瞭に提示されているのが、「コリント人への第一の手紙」に見られる「時間は短い」という表現です。ちなみにこれは、パウロのギリシア語原文を参照すると「時間は収縮している」と読める表現です。

終末論を前提としたこの時間感覚こそが、キングが闘争のなかで聖書から拾いあげた当のものです。パウロのこの「短い」時間、「この現在時」は、キングが焦燥のなか、「非常な緊急性」のなかで、待つ時間を廃棄して構想したであろう時間に酷似しています。

ただし、キングの構想にはパウロのそれと決定的に異なるところがあります。パウロにとって終末、つまり神の国の到来は、正確にいつ起こるかは人間にはわからないとしても、すでに決まっていることとして捉えられていました。それに対して、キングにとっての終末とは、人間たちが「時間を創造的に用い」て自力でこちら側に引き寄せなければならない時間です。さもなければ、それは惰性でどんどん繰り延べられ、遠ざかって行ってしまう。

その終末とは、要するに「大行進」スピーチが「いつの日か」と漠然と言及しているもののこと、人種差別、人種隔離が完全に撤廃される日のこと、義人たちならぬ子どもたちが人種に関わりなく同じテーブルを囲む日のことです。

しかし、その日が到来するという美しい約束は、放っておいては穏健主義者たちによって無限に繰り延べられてしまう。

そこでキングが考えたのは、パウロの時間論を参照して、「いま」の時間感覚を無理やりパウロの「短い」時間へと作り変えるということでした。キングがたびたび口にする「いまがその時間です」という文言がその最も象徴的な表現です。

時間感覚のこの変容を通じて、キングは終末を、曖昧模糊《もこ》とした将来の彼方にかすんで見えるようなものから、具体的にはっきりとイメージできるものへと作り変える。そして、終末を自分たちが自力ですぐに到来させるというイメージ自体が、ひるがえって「時間はない、いましかない、いまがその時間だ」という自分たちの切迫した時間の構想に力を与えるわけです。

キングはきっと、公民権運動のなかでパウロに成り代わるうちに、そしてまた運動の膠着を経ることで、パウロの時間概念を理解するに至り、自分なりに使いまわしてやったということなのでしょう。

終末は来たのか

実際に「終末」は来たのか？　一九六四年公民権法は成立しました。その意味では、部分的には神の国は到来したのでしょう。しかし、人種差別はもちろん、それで完全に姿を消したわけではありません。私たちはそのことをよく知っています。

では、キングの構想は無力だったのか？　いつもながらの回答になりますが、いずれにせよそこに抵抗はありましたし、その抵抗は「哲学」の形を取り、人々の闘争に形を与えることができました。

「繰り延べによって存続する社会的不正があったときに、終末を具体的に設定することでいまの時間感覚を変容させる」という身振りは、政治的な成功に結びつくかはともかく、人々の世界の見かた自体に決定的な更新を強いる、けっして否定し尽くされることのないものとして、確実に残ったと言えるでしょう。

おわりに

「海の魚」、「私がスパルタカスだ」、「主食」、反最善説、「そういうものだ」、「いまがその時間」。ここまで見てきた「概念」は必ずしも、いわゆる狭義での哲学において「概念」として扱われてきたものではありません。しかし、それぞれの事例において、その「概念」の構想によって世界は緊張を帯び——より正確には、緊張を帯びたところが世界として一挙に立ち上がり——、知的な抵抗として人々の認識の前に姿を現していました。それらの抵抗は効果を発揮することもあれば無駄に終わることもありましたが、事の成否によって価値を計り知られるものではありません。

さて、本書のために選ばれた「哲学」には当然のことながら偏りがあります。定番のイメージに沿う狭義の哲学を本書に登場させなかったのは故意のことです。

もちろん、そのようなものが哲学の名に値しないわけではありませんが、物事には順序がある。狭義の哲学にしたところで根深いところではそれぞれがそれぞれに抵抗であるはずなのに、定番のイメージを出発点としたのではそのことが見えにくくなるばあいが多いというのも事実でしょう。

本書で「哲学」として扱ったものはいずれも、ほとんど過度とも言えるほど明瞭な、絵に描いたような抵抗のイメージをあらかじめともなっています（漁民の反抗、奴隷戦争、先住民の闘争、啓蒙主義、反戦、公民権運動）。それらの抵抗運動のなかに知的な中核をそのつど標定することが試みられたわけです。もちろん、哲学に乏しいながらもすばらしい抵抗もこの世には無数に存在しますが、いわゆる抵抗運動に哲学が読み取れるばあいもまた少なくない。そこを強調するというのが本書の表向きの身振りでした。

しかしこの身振りはそこからひるがえって、狭義のものも含めたあらゆる哲学にもそのつど何らかの抵抗の中核を見て取れるように認識の目を慣れさせるということを暗黙の狙いとするものでもありました。あらゆる哲学は抵抗です。本書ではあえて触れませんでしたが、狭義の哲学の中核にもつねに抵抗がある。本書は、あらゆる哲学の根底に抵抗を見抜けるようになるための、最初の訓練の場としても想定されていました。

というわけで、本書は抵抗を前面に出した広義の哲学の入門書として構想されました。哲学を専門としない大学生、そして高校生、さらには背伸びのできる中学生を読者として第一に想定しました。それより年上の人には高校生の気持ちに戻ってもらえればと存じます。ちなみに私自身も、自分のなかの反抗的少年が死んでしまわないように絶えず気をつけています。

先述のとおり、できるだけ狭義の哲学を前提とせずに書くという条件を課したことで、他の哲学入門の本とはかなり毛色の違うものになりました。

扱った主要資料はいずれも狭義の哲学には属しませんが、別の領域では有名なものばかりです。さまざまな分野の定番に触れながら、そこで微光を放っている「哲学」を見抜く感覚を獲得していただけたのであれば、それに過ぎる喜びはありません。それらの作品はすべて、心を揺さぶる名作としても知られていますが、その感動を否定することのないま、とはいえ、その情動を下支えする知的な抵抗のほうを前景化させようというのが私の狙いだった、というのはさきにも述べたとおりです。

また、本書全体を通して、哲学的抵抗と連帯との関わりが浮き彫りになるようにも努めました。連帯というのは本来、基本的・日常的な倫理感覚の中心に宿っているべきものでしょうが、それがとりわけこの冷笑的な社会では絶滅に瀕して久しいと感じられます。どれほどすばらしい専門的知見も、この基本的な土台がなければ軽薄な装飾にすぎません。要するに、「強くなければ生きてはいない。優しくなければ生きているに値しない」(レイモンド・チャンドラー)、あるいは「やさしいことはつよいのよ」(宮城まり子)ということです。というわけで、連帯を愚直に肯定する記述を心掛けました。

なお、念のため書き添えますが、本書で抵抗が前面に置かれたことには時局的な背景が当然あります。ただし、それは直近のコロナ騒動のことだけを具体的に指すわけではありません。

そもそも、抵抗が際立つために災厄が是非とも必要なわけでもありません。コロナ騒動にせよ原発再稼働問題にせよ、問題なのは自然に由来する災厄それ自体よりも、それを好機として無秩序を運営することで逆説的に延命を図る体制のほうです。

その体制はとくにこの数年、きっかけとなる災厄を必要とすることもなく、さまざまな非道を縦横無尽に展開してもいます。度重なる失言や汚職や人事操作や縁故主義は措《お》くとして、すぐに思いつくものを挙げるだけでも、新安保法制成立の強行、各種公文書の改《かい》竄《ざん》・廃棄や過剰な不開示、入管行政や外国人技能実習制度における非人間的慣行の黙許、あいちトリエンナーレや日本学術会議を舞台とした文化研究活動へのイデオロギー的介入……。このリストを終わらせるのは困難です。コロナ騒動に関連するもろもろの失策（オリンピック・パラリンピック強行とその不透明な予算執行を含む）は、これらの後に、同じ調子で繰り拡げられたにすぎない。要するに、もう何年にもわたって、抵抗のきっかけには事欠かない状況が続いているわけです。

とはいえ私は、この状況下にあって「抵抗せよ」とあからさまにあなたを煽《あお》るつもりもありません。そもそも、抵抗は人に言われてするようなものではないでしょう。あなたの政治的な思想傾向が私のそれと近いという保証もありません。大事なのはむしろ、まずは何が抵抗であるかを捉えること、そこかしこにある抵抗を見抜くこと、そして抵抗者との連帯は容易だと理解することです。そしてじつは、あなたもすでに何らかのしかたで抵抗しているかもしれない。

この数年で、地道に議論を組み立てることよりも嘘や屁理屈や言い逃れでその場をしのぐことのほうを現実主義的として評価する冷笑主義は、無視できない程度に定着したようです。その冷笑主義はまた、見知らぬ誰かの窮状に心を痛めるよりも嘲笑を浴びせることのほうを好むとうそぶきもします。そのような風潮が広まったのが時の政権のせいか、それともたとえばSNSの普及のせいかはわからない（あるいは、両者は深いところで補完しあっているかもしれない）。いずれにせよ重要なのは、そのような傾向に対してしつこくノーと言い続けること、基本的な倫理感覚に息を吹き返させることです。

本書が、ヒリヒリするほど単純な見かけをしているとすれば、それは私が、そもそもの抵抗や倫理の本態がきわめて単純なものであり、その単純さをそのままの形で伝えることがまずは重要だと捉えているからに他なりません。複雑な話はその後で充分です。

自分が叩かれたら「痛い」と言うし、「痛い」と言っている人がいたら、そちら側に立つ。実際につねにそうできるかというのは別問題ですが、少なくとも原則はそれだけのことです。本書が、その原則の上に積もっている埃《ほこり》を払う役に少しでも立てばと願っています。

本書はおおむね書き下ろしですが、全体にわたって、本務校である慶應義塾大学で十数年にわたって担当している講義科目「現代思想論」で用いてきたノートやメモ書き、原稿の一部を土台にしています。履修してくれた歴代の学生さんたちに感謝します。

第五章のみ、内容の大半はすでに以下の論文で提示されており、今回の記述はいわば語りなおしに相当します。高桑和巳「マーティン・ルーサー・キング・ジュニアの時間」、『現代思想』第三十四巻、第七号（青土社、二〇〇六年六月）一七四—一八六頁（以下に再録。高桑和巳『アガンベンの名を借りて』青弓社、二〇一六年、一六四—一九〇頁）。ただし、この論文ももともとは先述の講義科目で話していた内容を叩き台にしています。

新書執筆のお誘いをいただいたのは二〇二〇年九月でした。当初は四十八歳だったので、すぐに本を出せれば、石川達三の小説のタイトルを借りて「これが私の『四十八歳の抵抗』ですよ」とつまらない冗談を言うこともできたでしょうが、残念ながら好機を逸しました。

　最後になりましたが、集英社の金井田亜希さんには、書き下ろし未経験者に優しくお声掛けくださったこと、作業に辛抱強く伴走してくださったことについて、深くお礼申しあげます。

主要参考資料一覧

本文中で明示的に引用・参照した資料がほとんどですが、記述の正確さのために確認したものも含まれています。

主要資料には★を付けています。というよりむしろ、本書はそれらに対する副読本と位置づけてもかまいません。★の付いた資料は必ず参照してください。

新書という体裁の制約上、本文中での参照にあたり参照箇所の明示をおこなっていませんが、同定は困難ではないはずです。

第一章　哲学を定義する

『アメリカ古典文庫』第一巻（『ベンジャミン・フランクリン』）池田孝一訳（研究社、一九七五年）

ベンジャミン・フランクリン『フランクリン自伝』鶴見俊輔訳（土曜社、二〇一五年）

ミヒャエル・エンデ『モモ』大島かおり訳（岩波書店［岩波少年文庫］、二〇〇五年）

第二章　隷従者の抵抗

★ルキーノ・ヴィスコンティ監督『揺れる大地』（一九四八年）

ジョヴァンニ・ヴェルガ『マラヴォリヤ家の人びと』西本晃二訳（みすず書房、一九九〇年）

ミシェル・フーコー『ミシェル・フーコー思考集成』第七巻、蓮實重彦ほか監修（筑摩書房、二〇〇〇

年）
ミシェル・フーコー『ミシェル・フーコー思考集成』第八巻、蓮實重彦ほか監修（筑摩書房、二〇〇一年）
★スタンリー・キューブリック監督『スパルタカス』（一九六〇年）
ハワード・ファースト『スパルタクス』上下巻、村木淳訳（三一書房［三一新書］、一九六〇年）
Dalton Trumbo, *Spartacus: Revised Final Screenplay* (1959)〈https://indiegroundfilms.files.wordpress.com/2014/01/spartacus.pdf〉
Larry Ceplair & Christopher Trumbo, *Dalton Trumbo: Blacklisted Hollywood Radical* (Lexington: The University Press of Kentucky, 2015)
カーク・ダグラス『カーク・ダグラス自伝　くず屋の息子』下巻、金丸美南子訳（早川書房、一九八九年）
Kirk Douglas, *I am Spartacus!: Making a Film, Breaking the Blacklist* (New York: Open Road Media, 2012)

第三章　主食

萱野茂『おれの二風谷』（すずさわ書店、一九七五年）
★萱野茂『アイヌの碑』（朝日新聞社［朝日文庫］、一九九〇年）
萱野茂『国会でチャランケ』（日本社会党機関紙局［社会新報ブックレット］、一九九三年）

萱野茂『妻は借りもの』（北海道新聞社、一九九四年）
萱野茂『萱野茂のアイヌ語辞典』（三省堂、一九九六年［二〇〇二年増補版］）
★萱野茂『アイヌ歳時記』（筑摩書房［ちくま学芸文庫］、二〇一七年）
及川隆ほか編『アイヌ民族についての連続講座』（及川隆／北教組教育政策調査研究室、一九九三年）
本多勝一『先住民族アイヌの現在』（朝日新聞社［朝日文庫］、一九九三年）
差間正樹ほか編『サーモンピープル』（ラポロアイヌネイション／北大開示文書研究会、二〇二一年）

第四章　運命論への抵抗

★ヴォルテール『カンディード　他五篇』植田祐次訳（岩波書店［岩波文庫］、二〇〇五年）
ヴォルテール『カンディード』斉藤悦則訳（光文社［光文社古典新訳文庫］、二〇一五年）
ヴォルテール『哲学辞典』髙橋安光訳（法政大学出版局、一九八八年）
★カート・ヴォネガット・ジュニア『スローターハウス５』伊藤典夫訳（早川書房［ハヤカワ文庫］、一九七八年）
カート・ヴォネガット『国のない男』金原瑞人訳（中央公論新社［中公文庫］、二〇一七年）

第五章　いまがその時間

M・L・キング『自由への大いなる歩み』雪山慶正訳（岩波書店［岩波新書］、一九五九年）
★マーチン・ルーサー・キング『黒人はなぜ待てないか』中島和子ほか訳（みすず書房、一九六五年）

マーティン・ルーサー・キング『汝の敵を愛せよ』蓮見博昭訳（新教出版社、一九六五年）

クレイボーン・カーソン編『マーティン・ルーサー・キング自伝』梶原寿訳（日本基督教団出版局、二〇〇一年）

Clayborne Carson *et al.*, eds., *The Papers of Martin Luther King, Jr.*, 3 (Berkeley & Los Angeles: University of California Press, 1997)

Clayborne Carson *et al.*, eds., *The Papers of Martin Luther King, Jr.*, 4 (Berkeley & Los Angeles: University of California Press, 2000)

1611 King James Version（KJV）in King James Bible Online〈https://www.kingjamesbibleonline.org/1611-Bible/〉

高桑和巳（たかくわ　かずみ）

一九七二年生まれ。慶應義塾大学理工学部教授。専門はイタリア・フランス現代思想。著書に『アガンベンの名を借りて』（青弓社）、訳書にジョルジョ・アガンベン『ホモ・サケル』（以文社）、『思考の潜勢力』（月曜社）、『王国と栄光』（青土社）、『ニンファ　その他のイメージ論』（慶應義塾大学出版会）、ミシェル・フーコー『安全・領土・人口』（筑摩書房）、ジャック・デリダ『死刑Ⅰ』（白水社）、イヴ－アラン・ボワ&ロザリンド・E・クラウス『アンフォルム』（共訳、月曜社）など多数。

哲学《てつがく》で抵抗《ていこう》する

二〇二二年一月二二日　第一刷発行

集英社新書一一〇一C

著者……高桑和巳《たかくわかずみ》

発行者……樋口尚也

発行所……株式会社集英社

東京都千代田区一ツ橋二－五－一〇　郵便番号一〇一－八〇五〇

電話　〇三－三二三〇－六三九一（編集部）
〇三－三二三〇－六〇八〇（読者係）
〇三－三二三〇－六三九三（販売部）書店専用

装幀……原　研哉

印刷所……凸版印刷株式会社

製本所……ナショナル製本協同組合

定価はカバーに表示してあります。

ISBN 978-4-08-721201-3 C0210

集英社新書　好評既刊

哲学・思想——C

- 悩む力　姜尚中
- 夫婦の格式　橋田壽賀子
- 神と仏の風景「こころの道」　廣川勝美
- 無の道を生きる——禅の辻説法　有馬頼底
- 新左翼とロスジェネ　鈴木英生
- 虚人のすすめ　康芳夫
- 自由をつくる　自在に生きる　森博嗣
- 創るセンス　工作の思考　森博嗣
- 努力しない生き方　桜井章一
- いい人ぶらずに生きてみよう　千玄室
- 不幸になる生き方　勝間和代
- 生きるチカラ　植島啓司
- 韓国人の作法　金栄勲
- 自分探しと楽しさについて　森博嗣
- 人生はうしろ向きに　南條竹則
- 日本の大転換　中沢新一
- 空《くう》の智慧、科学のこころ　ダライ・ラマ十四世　茂木健一郎
- 小さな「悟り」を積み重ねる　アルボムッレ・スマナサーラ
- 科学と宗教と死　加賀乙彦
- 犠牲のシステム　福島・沖縄　高橋哲哉
- 気の持ちようの幸福論　小島慶子
- 日本の聖地ベスト100　植島啓司
- 続・悩む力　姜尚中
- 心を癒す言葉の花束　アルフォンス・デーケン
- 自分を抱きしめてあげたい日に　落合恵子
- その未来はどうなの？　橋本治
- 荒天の武学　内田樹　光岡英稔
- 不安が力になる　ジョン・キム
- 冷泉家　八〇〇年の「守る力」　冷泉貴実子
- 世界と闘う「読書術」　思想を鍛える一〇〇〇冊　佐高信　佐藤優
- 心の力　姜尚中
- 一神教と国家　イスラーム、キリスト教、ユダヤ教　内田樹　中田考
- それでも僕は前を向く　大橋巨泉

a pilot of wisdom

体を使って心をおさめる　修験道入門　田中利典
百歳の力　篠田桃紅
ブッダをたずねて　仏教二五〇〇年の歴史　立川武蔵
イスラーム　生と死と聖戦　中田　考
「おっぱい」は好きなだけ吸うがいい　加島祥造
アウトサイダーの幸福論　ロバート・ハリス
科学の危機　金森　修
出家的人生のすすめ　佐々木閑
科学者は戦争で何をしたか　益川敏英
悪の力　姜　尚中
生存教室　ディストピアを生き抜くために　内田　樹／光岡英稔
ルバイヤートの謎　ペルシア詩が誘う考古の世界　金子民雄
感情で釣られる人々　なぜ理性は負け続けるのか　堀内進之介
永六輔の伝言　僕が愛した「芸と反骨」　矢崎泰久・編
淡々と生きる　100歳プロゴルファーの人生哲学　内田　棟
若者よ、猛省しなさい　下重暁子
イスラーム入門　文明の共存を考えるための99の扉　中田　考

ダメなときほど「言葉」を磨こう　萩本欽一
ゾーンの入り方　室伏広治
人工知能時代を〈善く生きる〉技術　堀内進之介
究極の選択　桜井章一
母の教え　10年後の『悩む力』　姜　尚中
一神教と戦争　橋爪大三郎／中田　考
善く死ぬための身体論　内田　樹／成瀬雅春
世界が変わる「視点」の見つけ方　佐藤可士和
いま、なぜ魯迅か　佐高　信
人生にとって挫折とは何か　下重暁子
全体主義の克服　マルクス・ガブリエル／中島隆博
悲しみとともにどう生きるか　柳田邦男／若松英輔ほか
原子力の哲学　戸谷洋志
退屈とポスト・トゥルース　マーク・キングウェル／上岡伸雄・訳
「利他」とは何か　伊藤亜紗・編
はじめての動物倫理学　田上孝一
ポストコロナの生命哲学　福岡伸一／伊藤亜紗／藤原辰史